De ontsnapping

2051

Francis Durbridge

De ontsnapping

Zwarte Beertjes

Oorspronkelijke titel
Breakaway
© 1981 Serial Productions Ltd.
Vertaling
Gerard Grasman
© 1982 A.W. Bruna Uitgevers B.V.,
Utrecht

ISBN 90 449 2051 0
D/1989/0939/127
NUGI 331

Omslagontwerp
A. van Velsen
Omslagfotografie
Flip Fahrenfort

CIP-GEGEVENS KONINKLIJKE
BIBLIOTHEEK, DEN HAAG

Durbridge, Francis

De ontsnapping / Francis Durbridge ;
[vert. uit het Engels door Gerard Gras-
man]. – Utrecht : Bruna. – (Zwarte
beertjes ; 2051)
Vert. van: Breakaway. – Londen [etc.] :
Hodder and Stoughton, 1981. – 1e dr.
Nederlandse uitg.: 1982.
ISBN 90-449-2051-0
UDC 82-31 NUGI 331
Trefw.: romans ; vertaald.

1

Het alarmerende bliep-bliep van zijn polshorloge bracht Sam Harvey met een schok terug tot de werkelijkheid. Al twintig over negen! Hij zou snel moeten zijn als hij nog op tijd bij Waterloo Station wilde aankomen. In hoog tempo tikte hij nog een laatste zin uit en trok het vel papier uit zijn schrijfmachine. Zorgvuldig legde hij het omgekeerd op het stapeltje dat hij al volgetikt had, nadat hij om zes uur was begonnen te werken.

Zijn flat bevond zich op de tweede verdieping van een gerenoveerd Victoriaans pand aan een stil plein in de nabijheid van het metrostation South Kensington. De erker van de ruime woonkamer bood uitzicht op het parkje in het midden van het plein. Sam had zijn bureau in de erker opgesteld. Het was nu overdekt met een ogenschijnlijk chaotische massa paperassen en opengeslagen boeken, aangevuld met stapeltjes haastig neergekrabbelde notities, tijdschriftknipsels, foto's en tekeningen van dieren. Op slechts twee van de foto's waren mensen te zien. De eerste was een foto van Sams vader en moeder, staande voor hun huis in de buitenwijken van Guildford, waarin hij was opgegroeid. De tweede toonde zijn jongere zuster met haar Australische echtgenoot en haar twee kleine kinderen, gefotografeerd voor hun in de stijl van een ranch opgetrokken bungalow in de omgeving van Broken Hill.

Het meubilair in de vrijgezellenflat was nieuw en betaald van de chèque waarmee zijn vader hem had verrast, nadat deze een meevaller had gehad met wat aandelen op de Beurs. In de zitkamer heerste een enorme chaos. De boeken die op Sams bureau en op de boekenplanken geen plaatsje meer hadden kunnen vinden lagen verspreid over de tafels en stoelen. Sam had de gewoonte na zijn binnenkomst zijn jas uit te trekken en die over de rugleuning van een stoel te gooien. De kop waaruit hij bij z'n ontbijt koffie had gedronken stond op het televisietoestel geparkeerd, terwijl het deksel van de radio-grammofooncombinatie een bord met wat restjes boter en marmelade torste.

Sams kleding was al even losjes als zijn omgeving. Hij droeg een shirt met open kraag onder zijn wollen vest met suède voorpanden, waarvan slechts één knoop was dichtgemaakt. Hij was lang, slank en knap. De meeste mensen schatten hem jonger dan zijn vijfendertig jaren. Hij had een levendig, gevoelig gezicht en het leek alsof zijn mond zich elk ogenblik tot een droge glimlach kon vertrekken.

Juist toen hij zijn stoel achteruit schoof zag hij een patrouillewagen van de politie het plein op rijden en aan de overkant stilhouden. Het achterportier ging open en Sam zag hoe een gezette gestalte moeizaam uitstapte. Zelfs van bovenaf herkende Sam moeiteloos hoofdinspecteur Bert Sinclair. Het verbaasde hem Sinclair al zo spoedig te zien verschijnen. Tenslotte had hij pas twee dagen geleden die brief aan de commissaris op de post gedaan.

Hij had net voldoende tijd om het vuile bord en de koffiekop naar de keuken te brengen voordat de bel begon te rinkelen.

Bert Sinclair was ruim twintig jaar ouder dan Sam. Zijn haargrens begon terug te wijken, waarbij er boven zijn voorhoofd een duidelijk V-vormige pluk haar achterbleef. Hij had zware wenkbrauwen en zijn wangen vertoonden diepe groeven. Zijn vingers waren kort en stevig en getuigden van een praktische inslag. Hij droeg een donker pak, dat ondanks intensief dragen nog weinig slijtageverschijnselen vertoonde. De vaderlijke manier van doen die hij zich eigen had gemaakt kon op een gevaarlijke manier bedrieglijk zijn.

'Môge, Sam.'

'Nee, maar – hallo, Bert.' Sam deed alsof hij verrast was, nadat hij de deur half had opengedaan.

'Mag ik binnenkomen?'

'Maar natuurlijk.' Sam stapte opzij en zette de deur verder open. 'Alleen heb ik weinig tijd. Ik word om tien uur bij Waterloo Station verwacht.'

De hoofdinspecteur beende door de gang naar de zitkamer. Zijn beweeglijke ogen keken razendsnel om zich heen en sloegen niets over.

'Om tien uur? Het is al vijf voor half!'

'Precies. Ik ga m'n vader en moeder afhalen,' legde Sam uit, terwijl hij Sinclair naar de zitkamer volgde. 'Ze stappen vanmorgen op het vliegtuig naar Australië. Ik heb beloofd hen naar het vliegveld te brengen.'

'Australië?'

'Ik had ze gisteravond aan de telefoon. M'n moeder kon van opwinding bijna geen woord uitbrengen. Geen wonder, trouwens. Ze heeft Meg al zes jaar niet meer gezien.'

'Komen ze met de trein uit Guildford?'

'Ja.' Sam raadpleegde demonstratief zijn horloge. 'Hun trein komt om vijf over tien aan.'

'Mag ik even gaan zitten?' Bert ontdekte de aarzeling op Sams gezicht. 'Maak je maar geen zorgen, ik zorg er wel voor dat jij op tijd in Waterloo Station bent.'

Zonder een uitnodiging af te wachten verwijderde hij een stel boeken uit een fauteuil en ging zitten. Met een vragende uitdrukking op z'n gezicht staarde hij op naar Sam.

Sams mondhoeken vertrokken zich tot een vage glimlach. 'Ik veronderstel dat je het al van de commissaris hebt gehoord?'

'Precies. Hij liet me door die aan chronische verstopping lijdende satelliet van hem een briefje brengen. Sam, wàt is er nu eigenlijk aan de hand?'

'Als je mijn brief hebt gelezen weet jij precies wat er aan de hand is. Ik heb besloten de politie vaarwel te zeggen.'

'Ja, maar waaròm?' Sinclair kon zijn ergernis nu niet langer onderdrukken. 'Waarom, in hemelsnaam? Ik weet dat je financieel onafhankelijk bent, maar je hebt je werk altijd met hart en ziel gedaan en bent bovendien een van de jongste inspecteurs van het hele gemeentelijke korps. Op jouw leeftijd ben je toch zeker –'

'M'n financiële onafhankelijkheid heeft er niets mee te maken.' Sam draaide zich om naar zijn bureau. 'De eigenlijke reden is – Ach, nee, Bert, het is zinloos. Je zou het niet begrijpen.'

'Probeer 't toch maar.'

'Nou ja, als je het dan met alle geweld wilt weten... Ik ga weer een boek schrijven.'

'Hoe bedoel je – weer een boek? Ik wist niet dàt je al eens

een boek had geschreven!'

'Ik heb het onder een pseudoniem gepubliceerd. Mijn ouders waren de enige die ervan wisten.'

'Goeie genade!' Sinclair fronste zijn voorhoofd, alsof hij door een weerzinwekkende gedachte was getroffen. '*Jij* bent toch hopelijk niet degene die verantwoordelijk is voor die gemene achterklap in de –'

'Nee, niet in de verste verte. Ik heb voor m'n collega's op de Yard het grootste respect. Dat is altijd zo geweest, dat weet je.' Sam aarzelde even, voor hij Sinclair wat schaapachtig bekende: 'Het was een kinderboek.'

'Een *kinderboek*?'

Sam moest lachen bij het zien van Sinclairs verbaasde gezicht. 'Precies.'

Er viel een stilte.

'Je bedoelt – een boek voor *kinderen*?'

'Juist, ja.'

De hoofdinspecteur wreef over zijn voorhoofd. 'Je maakt een grapje, zeker.'

'Nee, het is geen grap.'

'Dus het is uitgegeven?'

'Ja. Het is inderdaad uitgegeven.'

Sinclair slaakte een zucht, eindelijk bereid om de afschuwelijke waarheid onder ogen te zien. 'Hoe kwam je er verdomme toe om een *kinderboek* te gaan schrijven? Je hèbt niet eens kinderen. Man, je bent niet eens getrouwd!'

'M'n zus, Meg, was tien jaar jonger dan ik. Ik vertelde haar altijd verhaaltjes, meestal over dieren. En toen ze zelf kinderen had begon ik voor hèn verhaaltjes mee te sturen met de brieven die ik haar schreef. Iemand stelde me voor ze te bundelen en uit te geven, en ik heb die raad opgevolgd. Ik had altijd al een boek willen schrijven en ik had het geluk dat de uitgever er wel brood in zag. Nu wil ik nòg eens een poging wagen.'

Sinclair staarde hem aan met de doorborende blik waarmee al duizenden verdachten kennis hadden gemaakt.

'Je probeert me er toch niet tussen te nemen, hè?'

'Nee, Bert, ik zou niet durven.' Nog altijd glimlachend diepte Sam uit een la van zijn bureau een boek op, dat hij de hoofdinspecteur aanreikte. Het was voorzien van een harde, glanzende omslag in vrolijke kleuren. Allerlei dieren, keurig uitgedost in moderne kleren, zaten rond een tafel. De gastheer was een leeuw.

Vol verbazing staarde Sinclair naar de afbeelding en las toen langzaam de titel: *Een etentje in de dierentuin*. 'Maar dit is geschreven door Sam Kaye!'

'De meisjesnaam van mijn moeder, voor ze met m'n vader trouwde.' Sam ontfermde zich weer over het boek, voordat Sinclair er dieper op kon ingaan. 'Heus, Bert, ik moet er nu toch werkelijk vandoor.'

Het was al tien over tien toen de patrouillewagen in razende vaart arriveerde op de parkeerplaats voor particuliere auto's en taxi's bij Waterloo Station. Sam had het portier al open nog vòòr de wagen met krijsende remmen tot stilstand kwam. Na zijn hand te hebben opgestoken voor Bert Sinclair en de bekwame bestuurder met een hoofdknik te hebben bedankt, draaide hij zich om en rende naar de grote stationshal.

Het kostte hem weinig moeite zijn ouders te vinden. Ze waren de kaartjescontrole al door en stonden nu de mensenmassa op te nemen, op zoek naar hun zoon. Een kruier die hun koffers op zijn steekwagentje had geladen vertoonde alle tekenen van groeiend ongeduld. Jason Harvey was een vijfenzestigplusser, maar zijn houding was nog kaarsrecht en hij maakte een vitale indruk. Zijn onberispelijke, nieuwogende kleding verleende hem een kwiek uiterlijk. In zijn hand hield hij een leren diplomatenkoffertje, dat voorzien was van de initialen J.H. en afgesloten was met een cijferslot. In tegenstelling tot hem maakte Hannah Harvey, hoewel ze jonger was dan haar man, een geagiteerde indruk. Ze leek niet genoeg te hebben aan twee armen voor het vasthouden van haar bontmantel en de grote handtas die ze bij zich had. Zodra ze Sam ontdekte verscheen er een opgeluchte glimlach op haar mollige, blozende gezicht.

Sam verwelkomde zijn moeder met een kus en werd bij wijze van groet door zijn vader op de schouder geklopt.

'Je bent laat, jongen,' mopperde ze. 'We begonnen ons al

9

af te vragen of je misschien iets overkomen was.'

'Ik zei haar al dat ze zich niet zo druk moest maken,' merkte Jason Harvey op. 'Ik wist wel dat je op zou komen dagen – vroeg of laat.'

'Ja, ik weet dat ik wat aan de late kant ben. Het spijt me, mams. Hier, laat mij die bontmantel en die tas maar dragen. Nou – hoe voelen jullie je? Opgewonden?'

'Opgewonden, zei je?' merkte Jason droogjes op. 'Dat is nog zachtjes uitgedrukt!'

De kruier had geen tijd voor aanhankelijkheidsbetuigingen tussen familieleden. Hij begon zijn steekwagentje naar de taxistandplaats te duwen. 'Meneer wil zeker wel een taxi?'

'Nee,' maakte Jason hem duidelijk. 'Ik heb een huurauto besteld. Die zou voor ons klaar staan.'

Toen het groepje de stoep voor de grote stationshal op wandelde, werd het portier van een witte Ford Granada aan de overkant van de straat geopend. Er verscheen een slank been met een elegant schoentje, gevolgd door de rest van een uitzonderlijk goed ogend jong meisje. Ze had een klembordje in haar handen en maakte een uiterst zelfverzekerde, kalme indruk toen ze de straat overstak, in de richting van de Harveys. Ze droeg een donkerpaars mantelpakje, waarvan het jasje over de heupen viel en de rok aan de voorzijde met één plooi was uitgevoerd. De lange draagriem van haar leren schoudertas viel over haar buste.

Ze liep regelrecht op Jason af. 'Meneer Hogarth?'

'Nee. Mijn naam is Harvey.'

'Harvey?' Het meisje leek verbaasd te zijn. Ze raadpleegde haar klembordje. 'U hèeft toch een huurauto besteld bij Brewster Bros, in Hammersmith?'

'Dat wel, ja. Maar ik heet Harvey en niet Hogarth.'

Ze was duidelijk van haar stuk gebracht en wierp Sam een nerveuze blik toe.

'Ach ja, natuurlijk.' Ze toonde een glimlach. 'Het spijt me, meneer Harvey. U moet naar het vliegveld?' Jason knikte bevestigend. 'Meneer Hogarth was m'n vorige passagier, ziet u. Ik heb hem zojuist afgezet. Als u hier even blijft wachten zal ik de auto gaan halen.'

'Dat is niet nodig. We lopen wel even met u mee.'

'Nee, ik haal de auto, meneer,' zei het meisje gedecideerd. Het klonk alsof ze gewoon was haar willetje door te zetten. 'Wacht u hier maar even.'

Ze schonk Sam een glimlachje dat wat minder gedwongen leek dan de stroeve lach die ze zijn vader zoëven had getoond. Terwijl ze de weg overstak werd ze door zowel Sam als de kruier bewonderend nagestaard. Bij het zien van de gelaatsuitdrukking van zijn zoon richtte Jason zijn blik op Hannah, met opgetrokken wenkbrauwen.

Hannah glimlachte teder en begrijpend. 'Maar goed dat ze ons alleen maar naar het vliegveld hoeft te rijden.'

Halverwege de ochtend was Terminal 3 van London Airport stampvol mensen, afkomstig uit alle mogelijke delen van de wereld. Sam en zijn moeder hadden een plaatsje veroverd op de entresol. Hier zaten ze koffie te drinken, terwijl ze het bonte gewemel beneden gadesloegen. Om de haverklap werd hun gesprek onderbroken door de doordringende stem uit de luidsprekers. Hannah's gezicht was vertrokken van spanning.

'Ik begrijp maar niet wat je vader overkomen kan zijn. Hij is nu al minstens een half uur weg!'

'Maak u maar niet bezorgd, mams.'

'Altijd hetzelfde liedje! Vlak voor we op reis gaan is hij altijd verdwenen! Het maakt me razend! Als ik nòg denk aan die keer toen –'

'Daar is-ie al,' viel Sam haar in de rede. Jason was een trap opgekomen, achter hun zitplaatsen. Toen hij zich bij hen voegde maakte hij een geïrriteerde indruk.

'Er is vertraging opgetreden, vrees ik.'

'Vertraging,' herhaalde Hannah toonloon, alsof het een woord was waarmee ze maar al te vertrouwd was geraakt.

'Ja. Ze zeiden dat het nog wel een paar uurtjes zou duren voor we worden opgeroepen.'

'O hemeltje! Net waar ik bang voor was.'

'Dat is niets om je bezorgd over te maken,' probeerde Sam haar gerust te stellen. 'Vertraging is hier de gewoonste zaak van de wereld, mams.'

11

'Ja, dat gebeurt om de haverklap.' Jason wendde zich tot Sam, die was opgesprongen om zijn vader de zitplaats aan te bieden. 'Luister 'ns, beste jongen – het is echt niet nodig dat jij hier blijft wachten. Werkelijk niet.'

'Nee, natuurlijk niet,' beaamde Hannah. 'Voor één keertje heeft je vader gelijk. Het zou eenvoudig dwaas zijn als jij hier de hele ochtend bleef rondhangen.'

'Tja – als jullie het niet erg vinden zal ik maar eens opstappen, denk ik.' Sam stond al op het punt zijn moeder een afscheidskus te geven, toen hij opeens op de zak van zijn jasje klopte. 'Goeie genade, daar zou ik het nog bijna vergeten.' Hij diepte een gouden kettinkje met dito hanger uit zijn zak op. 'Dit is voor Meg, mams. Geef haar een dikke klapzoen van me; en als ze 't soms niet mooi genoeg vindt zegt u haar maar dat die beul van een man van haar het kan dragen.'

'O, Sammy, wat mooi!' Hannah duwde haar man pardoes haar bontmantel in handen om het sieraad te kunnen bewonderen.

'Ik ben blij dat u 't mooi vindt, mams. Ik weet werkelijk niet wat ik anders voor haar had moeten kopen.'

'Het is een prachtig cadeau! Ze zal er verrukt van zijn. Waarom koop je nooit eens zo iets moois voor mij?'

'Omdat u het toch maar zou verliezen, zoals altijd. Daarom niet.' Sam nam haar het kleinood uit handen en maakte het slotje open, waarna hij het zijn moeder om de hals hing.

'Draag 't maar, mams. Dan kunt u het tenminste niet verliezen.'

'Jij kent je moeder nog slecht,' zei Jason.

Sam lachte zijn moeder, die omlaag staarde naar de hanger op haar borst, tevreden toe.

'Genieten jullie maar fijn. En stuur me een telegrammetje, zodra jullie aankomen!'

'Afgesproken, schat.' Hannah stond op om zijn afscheidskus in ontvangst te nemen. 'Dat zullen we doen.'

'Pas goed op jezelf, Sam,' beval Jason streng, toen ze elkaar de hand schudden.

'Ja, en jullie ook.'

Terwijl hij de vertrekhal beneden overstak keek Sam omhoog. Ze stonden naast elkaar tegen het hek van de entresol om hem na te kijken. De stoelen achter hen, die kortgeleden nog bezet werden door Sam en zijn moeder, waren al in beslag genomen door twee Aziaten. Zijn vader en moeder maakten een uiterst weerloze indruk tussen al die vreemden, vond Sam. Hij stak zijn hand op voor een laatste groet, draaide zich om en wandelde door de automatische schuifdeuren naar buiten.

De werkkamer van hoofdinspecteur Bert Sinclair bevond zich op de derde verdieping van New Scotland Yard en het raam bood uitzicht op Victoria Street. Het vertrek was geschilderd in de zachte tinten grijs en groen die het hele interieur van het gebouw bepaalden. Aan de muren hingen de foto's, plattegronden en lijsten die betrekking hadden op de gevallen die Sinclair momenteel in behandeling had. Het geheel werd wat verluchtigd door een kalender met een foto van een antiek automodel voor iedere maand van het jaar. Sinclairs bureau was afgeladen met paperassen. Hij was bezig met een poging tot het afwerken van een deel van het slopende administratieve werk, dat een kruis vormt voor iedere politiefunctionaris.

Toen er op de deur werd geklopt staakte hij zijn bezigheden en liet zijn bureaustoel ronddraaien. De bezoeker was hoofdinspecteur van de recherche Norman Ferris. Hoewel Ferris dezelfde rang bekleedde als Sinclair was hij ouder en in het vak vergrijsd, met een praktische, nuchtere instelling. Sinclair legde dadelijk zijn pen neer en stond op.

'Nou, hoe is 't gegaan?'

'We hebben voortreffelijk geluncht en Sam stond erop zelf de nota te voldoen. Maar ik ben bang dat het weinig heeft uitgehaald. Ik kon hem eenvoudig niet op andere gedachten brengen.'

'Heb je hem gezegd dat hij een maand verlof kan krijgen om de zaak rustig te overdenken?'

'Ja.'

'Wat zei hij daarop?'

'Helemaal niets.' Ferris schudde het hoofd. 'Nee, Bert, het maakt geen greintje verschil.'

'Nee, ik denk het ook niet.'

Sinclair zocht steun tegen de rand van zijn bureau en beduidde Ferris plaats te nemen in de enige gemakkelijke stoel in het vertrek.

'Hoe warmpjes zit Sam er eigenlijk bij?' wilde Ferris weten. 'Hij schijnt altijd goed in de slappe was te zitten. Heeftie soms een privé-inkomen?'

'Inderdaad. Een jaar of zes, zeven terug is een oom van hem overleden. Die heeft Sam en zijn zuster aardig wat geld nagelaten. Hoeveel precies is me niet bekend, maar het moet een behoorlijke meevaller zijn geweest. Die ouwe knaap was zelf vrijgezel en hij moet erg veel op hebben gehad met Sam.'

'Het enige wat *mijn* oom me naliet was een tennisracket,' zei Ferris met een vreugdeloos lachje. 'En dat ding heb ik nog opnieuw moeten laten bespannen òòk. Ik heb begrepen dat Sams ouwelui op dit moment onderweg zijn naar Australië.'

'Ja, ze zijn vanmorgen op het vliegtuig gestapt. Ze zagen eruit om door een ringetje te halen. Ik wou dat ik met ze mee had gekund.' Sinclairs gezicht kreeg een ernstige uitdrukking. 'Norman, dit is een moeilijke tijd. De Yard kan het zich niet veroorloven dat bekwame kerels als Sam Harvey hun uniform aan de kapstok hangen.'

'Tja,' zuchtte Ferris toen hij opstond, 'zo gaat dat nu eenmaal. Het ziet ernaar uit dat we 't ons ook niet kunnen veroorloven zulke mannen te houden.'

De patrouillewagen stond op een talud geparkeerd, even opzij van een van de snelwegen die vanuit Londen naar het zuidoosten van Engeland lopen. De beide agenten hadden hun pet op het achterhoofd geschoven en zaten onderuit gezakt en op hun gemak het verkeer gade te slaan, terwijl ze de mogelijke uitslagen van de voetbalwedstrijden van die avond de revue lieten passeren. De staccato klinkende stem van de mobilofonist werd onophoudelijk afgewisseld met statische ruis. De beide agenten zouden instinctmatig op hun eigen code-signaal reageren, als ze werden opgeroepen. Agent Newman was even in de twintig en zag er nog erg jong uit, met zijn rozige wangen en rossige haardos. Agent

Speers was ouder en bezat meer ervaring; hij had een donkere snor gekweekt.

Beide mannen gingen met een ruk rechtop zitten toen ze een Jaguar E in hun blikveld zagen schieten, die echter snel vaart minderde toen de oplettende bestuurder de politieauto opmerkte. De Jaguar reed de rijbaan voor het langzamer rijdende verkeer op en ging voor het witte bestelbusje rijden dat hij zojuist had ingehaald. Op de flanken en de achterzijde van de bestelwagen stond de naam MARIUS OF RYE gesjabloneerd.

'Wat een eigenaardige naam,' merkte Speers op, terwijl hij hem meteen opborg in zijn olifantsgeheugen.

'Wat?'

'Marius of Rye.' Speers knikte in de richting van de verdwijnende bestelwagen.

'Zullen we die Jaguar aanhouden?'

'Nee, laat die arme donder maar met rust. Ik heb zo'n idee dat die Mini daar de weg heel wat onveiliger maakt dan een Jaguar E.'

Er was een vuurrode Mini langs hen heen geschoten, waarvan de bestuurder plankgas reed.

'Zeg, was het geen knalrooie Mini die bij die bankoverval in Tunbridge werd gebruikt?' Newmans haviksogen richtten zich op de kentekenplaat van de kleine auto. Hij noteerde het nummer op het notitieblocje dat hij op z'n knie had. 'Zullen we dat nummer even door de NPC laten natrekken?'

Newman was nog jong genoeg om lol te beleven aan het inschakelen van de Nationale Politie Computer. Om hem een plezier te doen gaf Speers het kenteken door aan de centrale. Binnen vijf tellen kwam het antwoord.

'Kenteken MCG 898T; een rode BL Mini Clubman. Eigenaar D. Blackmore, 17 Highbury Villas in Croydon.'

'Dan kan die 't niet zijn geweest. De wagen is kennelijk niet als gestolen gemeld. Wat is dat voor herrie? Kun jij horen wat dat is?'

'Ja. Het lijkt me een hefschroefvliegtuig te zijn.' Newman draaide zijn portierraampje omlaag en tuurde naar de hemel. 'Ja hoor, een helicopter! Hij vliegt behoorlijk laag!'

Ze oogden de in zuidelijke richting vliegende wentelwiek

na, die evenwijdig aan de snelweg leek te vliegen. Al spoedig werd hij door de toppen van een groepje bomen aan het gezicht onttrokken. Newman zakte weer onderuit en trok een brief van zijn vriendin uit de borstzak van zijn uniformjasje. Hij had de eerste bladzijde al half doorgelezen toen de wind een kort, blaffend geluid naar hen toedreef.

'Wat was dat, verdomme?'

'Zo te horen een machinegeweer,' zei Speers.

'Laten we er op af gaan!'

Haastig propte Newman de brief weer in zijn borstzak, startte de motor en schakelde het blauwe zwaailicht in. Hij schoot de vluchtstrook op en trapte het gaspedaal van de Rover helemaal in. Met gillende sirene wrong hij zich langs het overige verkeer en liet de snelheid oplopen tot ruim honderdvijftig kilometer per uur.

Het kostte hen minder dan een minuut om de plaats van het ongeval te bereiken. De rode Mini stond op een vreemde manier langs de berm van de weg geparkeerd. Dennis Blackmore stond ernaast en zwaaide met brede armgebaren naar de politiewagen. Toen deze even voorbij de Mini tot stilstand kwam zag Speers opeens de witte bestelwagen, die op z'n kant lag en half in de brede diepe greppel naast de berm terecht was gekomen. De wielen tolden nog steeds rond. De weg die de bestelwagen over het asfalt had afgelegd werd gemarkeerd door inktzwarte bandensporen en een spoor van glassplinters.

Newman en Speers sprongen uit hun auto. Newman opende het achterportier van de Rover, terwijl Speers zijn licht ging opsteken bij Blackmore.

'Wat is er gebeurd?'

'Dat zou ik niet precies kunnen zeggen.' Blackmore was nog geschokt en diep onder de indruk van het gebeurde. 'Ik was juist bezig die bestelbus hier in te halen, toen er opeens een helicopter overkwam. Ik zag hem hoogte verliezen en vlak voor die bestelwagen blijven hangen – ik bedoel, hij vloog als het ware mee. In de deuropening van de helicopter zag ik een vent met een geweer zitten. Ik kon z'n zwarte baard duidelijk zien. Hij vuurde een salvo af op de bestelwagen – het lawaai was oorverdovend. Opeens begon de bestelwagen te slingeren en had ik m'n handen eraan vol om niet zelf de macht over het stuur te verliezen. Gaat u niet kijken of er soms iemand gewond is?'

'Zodra we de veiligheidsdriehoeken hebben uitgezet,' antwoordde Speers bedaard. 'Eèn ongeluk is meer dan genoeg, vindt u niet? En denk erom dat u niet de weg oploopt, meneer.'

Terwijl Newman de weg afholde om de veiligheidsdriehoeken te plaatsen en een blauw bordje met het opschrift ONGEVAL - POLITIE op honderd meter afstand neer te zetten, gebaarde Speers naar de passerende automobilisten, die, nieuwsgierig naar het gebeurde, snelheid verminderden, dat ze door moesten rijden. Pas nadat ze het achteropkomende verkeer attent hadden gemaakt op de hindernis staken de beide agenten de weg over naar de bestelwagen.

Zodra Speers de vooruit onder ogen had wist hij dat deze door geweerkogels was verbrijzeld. Newman klom naar boven om een blik te slaan door het portierraampje, aan de kant van de passagier. Hij had voldoende ervaring met ongelukken om gehard te zijn, maar dit was iets heel anders.

'O, God!' Hij draaide zijn hoofd om naar Speers, met een van afschuw vertrokken gezicht.

'Wat is er?'

'Kom zelf maar eens kijken.'

Nadat Newman omlaag was geklauterd nam Speers zijn plaats in en staarde in de cabine. De bestuurder was door het stuurwiel in de hoek opzij van zijn stoel inelkaar gedrukt. Zijn hoofd was verbrijzeld door kogels en uit zijn opengereten borst gutste bloed. Niettemin kon Speers zien dat hij verrassend goed gekleed was en eigenlijk al van te gevorderde leeftijd om een bestelwagen te besturen. De passagier was een vrouw. Aan haar was weinig bloed te ontdekken. Alleen een klein rond gaatje in de zijkant van haar hoofd. Haar lichaam was bovenop dat van de bestuurder beland, maar ze scheen zich nog steeds vast te klampen aan de bontmantel die ze op haar knieën had liggen. De gouden hanger aan het kettinkje rond haar nek was opzij gevallen en rustte nu op de revers van haar jasje.

Tevreden keek mevrouw Carr de flat van Sam rond. Het zag er al een stuk netter uit dan het geval was geweest toen ze vanmorgen binnen was gekomen. De stapel vuile borden was afgewassen en opgeborgen. Ze had afgestoft, gezogen en opgeruimd in de slaapkamer en de zitkamer. Het bureau had ze met geen vinger aangeraakt, hoewel haar handen jeukten om orde in die chaos te scheppen. Sam had haar echter gewaarschuwd dat ze er onder geen voorwaarde aan mocht komen.

Mevrouw Carr was een moederlijk type van dik in de zestig, met een vriendelijk gezicht en een royaal uitgevallen figuur. Eigenlijk had ze het geld niet nodig, maar een aardige jongeman als deze jeugdige inspecteur deed ze met plezier een genoegen. Bovendien hoorde je heel wat interessante nieuwtjes als je voor een politieman met de rang van Sam Hayvey werkte.

Ze had haar mantel al aan en haar hoed al op en wilde juist haar tas pakken, toen ze een sleutel in het slot van de voordeur hoorde steken en Sam binnen zag komen. Hij had een map vol tekeningen onder de arm.

'Dag mevrouw Carr. Ik dacht dat u nu zo ongeveer wel vertrokken zou zijn?'

'Ik was nog maar net klaar met de slaapkamer.'

'Ik geloof dat ik er nogal een troep van heb gemaakt.'

'Niet meer dan anders, meneer. Er zijn verscheidene brieven voor u gekomen. Ik heb ze op uw bureau gelegd. Vanzelfsprekend heb ik het met rust gelaten.'

Sam liep de zitkamer door, pakte het stapeltje enveloppen op en bekeek haastig de afzenders.

'Er zit een telegram bij. Wanneer is dat bezorgd?'

'Ongeveer een uur geleden. Misschien zelfs nog korter.'

Mevrouw Carr begon in de hal te stofzuigen toen Sam de enveloppe openritste. Al vanaf het moment waarop het telegram werd bezorgd was ze nieuwsgierig geweest naar de inhoud. Ze zag de uitdrukking op Sams gezicht veranderen terwijl hij het doorlas.

'Toch geen slecht nieuws, hoop ik?'

Sam liet het telegram zakken en staarde naar buiten, met een verbijsterde uitdrukking op zijn gezicht. 'Het is van Meg

– m'n zuster in Australië. Mijn ouders bleken niet in het vliegtuig te zitten, toen het was geland.'

'Wat kan er in hemelsnaam gebeurd zijn?'

'Ik begrijp er geen snars van. Ik heb ze persoonlijk naar London Airport gebracht!'

Opnieuw las Sam het telegram door, alsof hij hoopte er iets anders in te zullen lezen.

'Is er – is er misschien iets dat ik zou kunnen doen, meneer?'

'Nee. Nee, maar toch bedankt, mevrouw Carr.'

Ze aarzelde, pakte toen haar tas op en liep de gang in. Hij hoorde haar de deur openen en vernam daarna het geroezemoes van stemmen. Enkele ogenblikken later was ze terug, gevolgd door de uiterst zorgelijk kijkende Bert Sinclair.

'Er is een collega van u, meneer, om u te spreken.'

'Als-je-me-nou – hallo, Bert! Kom binnen. Wat kom jij hier doen?'

Sinclair was kennelijk slecht op z'n gemak en bleef in de deuropening staan. Achter hem zag Sam het bezorgde gezicht van mevrouw Carr.

'Sam. Ik ben bang dat ik een jobstijding moet overbrengen.'

'Een jobstijding? Hoe bedoel je? Wat voor jobs-'

Sam zweeg. Zijn ogen hadden het zwarte diplomatenkoffertje in Sinclairs handen opgemerkt. Het was afgesloten met een cijferslot en hij kon de erin geperste initialen lezen.

'Hier, drink dit maar op. Dan zul je je wat beter voelen.'

'Vertel het me nog eens, Bert. Leg me uit wat er is gebeurd.'

Mevr. Carr was met tegenzin vertrokken en de beide mannen waren nu alleen. Sam zat, z'n hoofd steunend op zijn handen, voorovergebogen in een leunstoel. Sinclair moest zijn hand optillen en zijn vingers rond het glas klemmen. Daarna liep hij terug naar het zijtafeltje om een tweede glas whisky voor zichzelf in te schenken. Hij vond dat hij er hard aan toe was.

'We weten niet wat er gebeurd is. Niet precies. Zo reed die bestelwagen nog normaal over de weg, of een paar tellen

later verscheen er een helicopter, en – volgens een jongeman, een zekere Dennis Blackmore, bestuurder van een Mini – vuurde iemand in die helicopter een aantal schoten af,
waarna de bestelwagen plotseling van de weg schoot – Luister, Sam, kom met mij mee, blijf bij mij slapen, dan kunnen
we er later over praten. Best kans dat ik dan intussen wat
meer te weten ben gekomen.'

'Nee!' Sam schudde heftig z'n hoofd. 'Ik wil er *nu* over
praten.' Hij staarde naar de whisky in zijn hand, zonder ervan te drinken. 'Alsjeblieft, Bert, ik heb mezelf dadelijk
weer in de hand, ik beloof 't je.'

'Goed dan – maar drink dat eerst eens op. Dan zullen we
verder praten.'

Sam knikte en sloeg met een abrupt gebaar de helft van de
whisky achterover.

'Hoe was die naam ook al weer, Bert? De naam die je net
noemde – dat opschrift op die bestelwagen?'

'Marius.'

'Marius?'

'Marius of Rye.'

'Nooit gehoord. Wat is dat voor zaak?'

'Weten we niet. We hoopten dat jij misschien iets meer
zou weten. Ze staan niet in het telefoonboek en ook de
plaatselijke politie heeft er geen flauw benul van wat voor
zaak het is of wie het zijn.' Sinclair nam een teug whisky en
bleef Sam aandachtig aankijken. 'Jij hebt die naam ook
nooit horen noemen?'

Sam schudde het hoofd.

'Weet je het zeker?'

'Absoluut. Maar zeg me eens – wat zat er in die bestelwagen?'

'Niets. Helemaal leeg. Ik zou je nog niet kunnen zeggen of
er soms iets in het chassis verborgen is. Onze mensen nemen
hem onder de loep en ik denk dat we spoedig wel wat meer
over die bestelwagen zullen weten.' Sinclair kwam recht
voor de stoel staan waarin Sam had plaatsgenomen. 'Sam,
toen jij je vader en moeder naar het vliegveld had gebracht
en afscheid van ze nam – welke indruk maakten ze toen op
je?'

'Opgewonden – maar voor het overige doodnormaal.'

'Er is geen moment sprake van geweest dat ze wellicht zouden afzien van de reis?'

'Goeie hemel, nee!'

'Wat is er met hun bagage gebeurd?'

'Ik veronderstel dat die normaal werd ingeschreven en aan boord van het vliegtuig werd gebracht.' Sam keek op. 'Hoewel ik moet toegeven dat ik dat zelf niet heb zien gebeuren.'

'Waarom niet?'

'Nou, er stond nogal een rij bij dat loket, en ik ben even naar boven gewipt om een telefoontje te plegen. We zijn een minuut of tien later in de vertrekhal weer bijelkaar gekomen.'

'Wat is er daarna gebeurd?'

'M'n vader ontdekte dat het toestel vertraging had opgelopen – en aangezien het weinig zinvol leek dat ik nog langer op het vliegveld bleef rondhangen heb ik afscheid van hen genomen.'

Sinclair knikte. Hij liep naar het bureau in de erker en pakte het diplomatenkoffertje op, dat hij erop had neergelegd.

'Dit koffertje lag in de bestelwagen. En aangezien de initialen van je vader erop staan dacht ik dat het waarschijnlijk wel van hem was.'

'Ja,' beaamde Sam, 'ik heb het hem cadeau gegeven, voor z'n verjaardag.'

'Betekent dit dat jij op de hoogte bent van de cijfercombinatie?'

'Ja – als die tenminste niet veranderd is.'

Sinclair reikte Sam het koffertje aan. 'Zou je het even willen openen, Sam?'

Sam sloot zijn ogen, op zoek naar het ezelsbruggetje dat hij zich had ingeprent om de cijfercombinatie van het slot te kunnen onthouden. Hij legde het koffertje plat op de grond en begon aan de zes afgeschuinde wieltjes van het slot te draaien. Het slot sprong open. Een voor een nam hij de spullen die het koffertje bevatte eruit en legde ze op de lage salontafel voor hem. Het waren de beide paspoorten, op naam van Jason en Hannah Harvey, een zonnebril in een imitatie-leren koker, een exemplaar van Sams boek *Een etentje in de dierentuin*, een bos sleutels, een doosje pillen tegen indigestie, een veelvuldig gebruikte pijp mèt tabakszak, plus een grote, niet dichtgeplakte enveloppe.

Bert Sinclair pakte de enveloppe op en bekeek hem aan alle kanten. Er was niets op te lezen.

'Heb jij deze enveloppe al eens eerder gezien?'

'Nee.

Sinclair maakte hem open en haalde er een grote, glanzende foto uit. Verder zat er niets in de enveloppe. Hij bestudeerde de foto met uitdrukkingsloos gezicht en draaide hem toen om, zodat Sam hem ook kon bekijken.

Het was een haarscherpe zwartwit foto van een witte bestelwagen. Het opschrift op de zijkant leek op de foto nog opvallender dan in werkelijkheid: MARIUS OF RYE.

Sinds de dubbele moord waren er twee dagen verstreken. Bert Sinclair zat achter zijn bureau en stopte voor de vierde maal die dag zijn pijp. Norman Ferris stond met de foto van de bestelwagen in z'n hand naast Sinclairs bureau. Hij las het opschrift telkens opnieuw, alsof hij er op die manier iets uit zou kunnen opmaken. Sinclair wijdde zich nu full-time aan het geval MARIUS OF RYE, met assistentie van inspecteur Ronald Bellamy. Alles dat niets met deze zaak te maken had was van het prikbord aan de muur verwijderd, en vervangen door foto's, genomen op de plaats van het misdrijf; foto's waarop de witte bestelwagen vanuit alle mogelijke hoeken was te zien. Verder was er een gedetailleerde landkaart van de plaatselijke omgeving op het prikbord bevestigd, plus een luchtfoto van het weggedeelte waarop de kogels uit de helicopter de bestelwagen hadden getroffen. Op Sinclairs bureau lagen de rapporten van de bezoeken die zijn rechercheteam had afgestoken bij alle adressen waar helicopters werden verhuurd, alsmede een rapport van het Home Office Forensic Laboratory, het politielaboratorium dat de bestelwagen grondig had onderzocht. Verder beschikte Sinclair over een lijst van mogelijke eigenaars, afkomstig van het kentekenregistratiebureau in Swansea, en aan aantal ooggetuigeverklaringen van mensen die in de omgeving woonden, de helicopter hadden gezien en de schoten hadden gehoord.

De helicopter was spoorloos verdwenen, op vrijwel dezelfde manier als waarop het toestel onverwachts uit de lucht was komen vallen.

'Het lijkt erop dat we de afgelopen achtenveertig uur geen steek zijn opgeschoten,' merkte Ferris verbitterd op. 'Wat zijn dat voor de donder voor lui, Bert? Marius of Rye!? Als het een firma was geweest zouden we nu het naadje van de kous hebben geweten.'

'Niemand weet iets over ze. Niemand heeft zelfs van ze gehoord. En van die bestelwagen zijn we ook niets wijzer geworden.'

Ferris legde de foto terug op het stapeltje op Sinclairs bureau. 'Heeft Bellamy al iets kunnen ontdekken?'

'Je kent Bellamy toch?' Sinclair gebaarde naar de paperassen op zijn bureau. 'Die zit de helft van de tijd memo's te schrijven. De man is gewoon verzot op memo's. Ik verdenk hem ervan dat hij zelfs z'n vrouw een memootje stuurt, voordat ie met 'r naar bed gaat!'

'Ik begrijp niet waarom ze hèm in hemelsnaam aan dit geval hebben gezet. Hij en Sam zijn het nog nooit over iets met elkaar eens geweest. Heb je Sam trouwens de laatste tijd nog gesproken?'

Sinclair streek een lucifer af en concentreerde zich op de taak zijn pijp tot volle tevredenheid aan het branden te krijgen, alvorens te antwoorden.

'Ik ben vanmorgen even bij hem langsgegaan.'

'Hoe ging 't met hem?'

Sinclair haalde zijn schouders op. 'Alles in aanmerking genomen niet slecht, zo te zien. Hij was van plan naar Guildford te gaan.'

'Guildford?'

'Daar woonden zijn ouders.'

'Het is een afschuwelijke geschiedenis.' Meewarig schudde Ferris het hoofd. 'Dit moet een ontzettende schok voor hem zijn geweest.'

Er werd op de deur geklopt. Meteen daarna stapte inspecteur Ronald Bellamy naar binnen. De twee andere mannen hielden hun gezicht zorgvuldig in de plooi en vermeden het elkaar aan te kijken. Bellamy was een lange man, met een nors, vreugdeloos gezicht en een zwijgzaam karakter. Hij had het gekrenkte uiterlijk van iemand die z'n uiterste best doet, maar nooit de lof krijgt die hem volgens hemzelf zou toekomen. Hij had een memorandum in zijn hand.

'Pardon, meneer,' zei hij, met een nerveuze blik op Ferris. 'Ik stond op het punt u dit memorandum te sturen, maar opeens vond ik het beter om –' Heel even verhelderde zijn zorgelijke gezicht. 'We zijn eindelijk iets te weten gekomen, meneer. De bestelwagen werd gestolen uit een garage in St. Albans.'

'Wanneer werd hij gestolen?'

'Ongeveer een week terug. Hij was eigendom van een chemische wasserij – de firma Drake en Waters. Ze hebben een hele vloot van deze bestelwagens. Deze was voor een doorsmeerbeurt in de garage. De chauffeur moest hem op de dag waarop hij werd gestolen terug gaan halen. Ik hoef u wel niet te zeggen dat noch de garage, noch die wasserij ooit de naam Marius of Rye heeft gehoord.'

Het huis met de naam 'Pennymore' behoorde tot een rijtje vrijstaande woningen op ongeveer twee kilometer afstand van het centrum van de stad Guildford, de hoofdstad van het graafschap Surrey, op circa 45 kilometer van Londen. Het huis had een enigszins Amerikaans uiterlijk, voornamelijk vanwege het ontbreken van een hek rond de voortuin. Een bepaling in het huurcontract verbood de bewoners hoge houten schuttingen neer te zetten of dichte heggen te planten.

Sam Harvey was met zijn Porsche 911 E, bouwjaar 1973, uit Londen naar Guildford komen rijden, nadat hij had gewacht totdat de grootste drukte van het ochtendspitsuur voorbij was. Hij reed de U-vormige oprijlaan op en hield voor de voordeur stil. Hij stapte uit, sloot het portier en bleef, leunend op het dak van zijn auto, naar het huis staan kijken. Het maakte een lege, afgesloten indruk. De garage opzij van het huis was afgesloten, en ofschoon de gordijnen voor de ramen niet waren dichtgetrokken had het huis het nietszeggende, wezenloze uiterlijk van een onbewoond pand. Blijkbaar waren de melkman en de krant op de hoogte van de afwezigheid van de Harveys.

Sam zag er ontzettend tegenop om het huis binnen te moeten gaan. Zijn blik dwaalde af naar de boom waarvan een dikke tak vroeger zijn schommel had getorst. Hij voelde dat iemand hem vanuit de tuin van het huis ernaast stond gade te slaan. Híj zag naast een rozenstruik een vrouw van middelbare leeftijd staan. Ze had een snoeischaar in haar handen en zag er nog heel appetijtelijk uit voor haar leeftijd. Toen ze merkte dat hij haar had gezien aarzelde ze heel even, voordat ze haar hand optilde voor een wat verlegen groet.

Toen Sam de voordeur opende verwachtte hij de weerstand te zullen voelen van een stapeltje post, maar de deur zwaaide moeiteloos open. Hij sloot hem niet achter zijn rug, toen hij de vestibule overstak. De deur naar de zitkamer stond open en weerkaatste het binnenstromende zonlicht. Hij bleef op de drempel staan, aarzelend om de kamer te betreden. Spontaan welde de herinnering aan de kamer in hem op, zoals deze er op de dag van Megs huwelijk had uitgezien. Hij verdrong deze gedachte. Iemand had Jason en Hannah Harvey vermoord. Sentimentele gedachten en emoties konden hem niet helpen erachter te komen wie dat had gedaan.

Het was ongewoon netjes in de kamer. Het naai- en borduurgerei van zijn moeder was opgeborgen. De tijdschriften waren netjes opgestapeld en alle boeken waren teruggezet op de planken die een van de muren volledig aan het oog onttrokken. Vaag was de geur van boenwas te ruiken. Sam stak de kamer over, naar het bureau van z'n vader. Het was een fraai negentiende-eeuws stijlmeubel, waarvan het bovenblad was afgewerkt met groen leer. De binnengekomen post was in een keurig stapeltje op het vloeiblad neergelegd.

Hij stond de post in twee hoopjes te sorteren, toen hij voetstappen door de vestibule hoorde naderen. Toen hij zich omdraaide zag hij de buurvrouw van zoëven de kamer binnenkomen. Ze had haar tuinhandschoenen uitgedaan en haar snoeischaar achtergelaten.

Margaret Randell had een behoorlijk figuur, kleedde zich

smaakvol en bracht regelmatig een bezoek aan de kapper. Ze liet haar haar spoelen om het donker te houden en benadrukte de vorm van haar fraaie vingers en nagels door rode nagellak te gebruiken.

'Meneer Harvey? Ik geloof niet dat we al kennis hebben gemaakt. Ik ben Margaret Randell.' Ze had een welluidende stem, zonder ook maar een spoor van een accent. 'Uw ouders hebben me gevraagd tijdens hun afwezigheid een oogje op hun huis te houden.'

'Ach ja, natuurlijk.' Sam zette zijn sombere gedachten opzij en schonk haar zijn vriendelijkste lachje. 'Dat hebben ze me gezegd.'

'Er zijn verscheidene brieven gekomen. Ik heb ze maar op het bureau gelegd.'

'Ja, dank u. Ik liep ze juist even door.'

'Meneer Harvey –' Ze kwam wat verder de kamer binnen, waarbij ze haar hand langs de rugleuning van de zitbank liet glijden. 'Ik weet niet goed wat ik tegen u moet zeggen. Toen ik in de krant las wat uw vader en moeder overkomen is was ik helemaal van streek. Ik was zo in de war –'

'Dat betwijfel ik geen moment, mevrouw Randell,' viel Sam haar wat bruusk in de rede. Hij voelde zich nu niet opgewassen tegen echte of gespeelde uitingen van emotie. 'Wanneer heeft u m'n ouders voor het laatst gezien?'

'Op de dag waarop ze naar Australië zouden vertrekken. Ik heb hen zelf naar het station in Guildford gereden. Als ik 't me goed herinner, zeiden ze dat u hen bij Waterloo Station zou komen afhalen.'

'Dat klopt, ja.'

'En – heeft u hen daar nog ontmoet?'

'Ja. Ik heb hen naar het vliegveld gebracht.'

'Wat is er op het vliegveld gebeurd?'

'Hun toestel had vertraging opgelopen – althans, dat werd mij verteld. Ze stonden erop dat ik niet langer bleef wachten en afscheid van ze zou nemen. Op dat moment leek dat logisch.' Sam staarde door de dubbele tuindeuren naar buiten. Het voortreffelijk onderhouden gazon begon er nu al wat verwilderd uit te zien. 'Later bleek dat ze – nou ja, u weet wat er is gebeurd. U heeft het in de kranten kunnen lezen.'

'Maar heeft uw zuster geen contact met u opgenomen? Toen ze niet in het vliegtuig bleken te zitten, zal ze ongetwijfeld wel –'

'M'n zuster kreeg een telegram, dat mijn vader haar vanaf het vliegveld zou hebben gestuurd. Er stond in dat m'n moeder plotseling griep had gekregen en dat ze daarom een week later zouden komen.'

'Een week later?' Margaret Randells ogen waren groot van nieuwsgierigheid. 'En waarom gingen ze dan toch naar het vliegveld?'

'Ik zou 't niet weten,' zei Sam hoofdschuddend. 'Ik kan me eenvoudig niet voorstellen waarom ze er desondanks naartoe zijn gegaan.'

Ze liep naar de schoorsteenmantel en begon daar de porseleinen beeldjes te verplaatsen, die door degene die de kamer had afgestoft schots en scheef waren teruggezet. Hij was zich ervan bewust dat ze hem via de spiegel met vergulde lijst boven de schoorsteen geen moment uit het oog verloor.

'Meneer Harvey, ik heb uw vader en moeder pas een jaar geleden leren kennen, toen ik hierheen was verhuisd. Ik had een ellendige tijd achter de rug. Mijn man had me in de steek gelaten, en – Nou ja, ik wil u niet met de onsmakelijke details vervelen, maar ik wil wel graag dat u weet dat ik uw ouders heel graag mocht en veel respect voor hen had. Ze zijn ontzettend aardig voor me geweest, in een van de moeilijkste perioden van mijn leven. Ik ben nogal eenzelvig, meneer Harvey, maar toch wisten uw vader en moeder me op een of andere manier altijd het gevoel te geven dat ik –' Haar stem beefde enigszins. 'Ik zal hen allebei vreselijk missen.'

'Dank u,' zei Sam, wat verlegen na het aanhoren van deze ontboezeming.

'Als ik u op welke manier dan ook van dienst kan zijn –' ze draaide zich om en keek hem met lichtelijk betraande ogen aan '– het geeft niet hoe … dan hoeft u 't me maar te zeggen.'

'Dat is heel attent van u, en ik stel het bijzonder op prijs.' Ze schonk hem een lachje en liep naar de deur. 'Mevrouw Randell –'

'O, alstublieft,' zei ze, terwijl ze zich omdraaide, 'noem me maar Margaret.'

'Eh, Margaret – eh – heeft mijn vader, of misschien mijn moeder, ooit tegenover jou de naam Marius laten vallen – Marius of Rye, om precies te zijn?'

'Nee.' Ze schudde ontkennend het hoofd en fronste haar voorhoofd. 'Geen van beiden. Maar hoeveel keer me *die* vraag al niet is gesteld, de afgelopen vierentwintig uur!'

'Door wie dan – door verslaggevers?'

'Inderdaad, er is hier een hele horde van die lui geweest. Ze stelden de wildste vragen. En lieve help, vasthoudend dat ze waren!'

'Het spijt me als ze 't je te lastig hebben gemaakt.'

'Och, ik beklaag me niet, dat moet u niet denken,' zei ze, met iets bezorgds in haar stem. 'Het komt alleen doordat ik – tja, ik ben nogal eenzelvig, ziet u. Iedere vorm van publiciteit stuit me tegen de borst. Wat eigenlijk dwaas van me is, veronderstel ik. Tenslotte moeten zij ook hun werk doen, net als iedereen. Marius of Rye? Was dat de naam die op de bestelwagen stond?'

'Ja.'

'Nee, uw ouders hebben die naam nooit genoemd. Als dat wél zo was zou ik het me wel weten te herinneren, dat weet ik zeker.'

Sam knikte haar toe en schonk haar het geruststellende lachje waaraan ze kennelijk behoefte had. Ze wachtte of hij er soms nog iets aan toe wilde voegen, toen het telefoontoestel op Jason Harveys bureau begon te rinkelen. Margaret Randell maakte een gebaar in de richting van het toestel en trok zich tactvol terug.

Sam zag er tegenop om het telefoontje aan te nemen. Hij vreesde dat het misschien een kennis van zijn ouders zou zijn, iemand die nog niet op de hoogte was van de tragedie, zodat hij, Sam, opnieuw alles zou moeten uitleggen.

Hij nam de hoorn van de haak en zei, in plaats van zijn naam of het abonneenummer te noemen: 'Hallo?'

'Met de centrale voor internationale gesprekken,' zei een zakelijke stem. 'Blijft u even aan de lijn, alstublieft, ik heb een gesprek voor u.'

Sam hoorde de gebruikelijke reeks klik- en knarsgeluiden, gevolgd door een geagiteerd klinkende mannenstem.

Hij had een uitgesproken Midden-europees accent.

'Hallo? Hallo...'

'Ja, met wie spreek ik?'

'Kunt u mij verstaan?' brulde de man aan de andere kant van de lijn, zo hard dat Sam de hoorn een eindje van zijn oor moest afhouden.

'Ja, ik versta u goed. Wie wilt u aan de lijn hebben?'

'Ik heb een mededeling voor meneer Hogarth.'

'Voor meneer Hogarth?' Sam herhaalde de naam en probeerde zich te herinneren waar hij diezelfde naam kortgeleden eerder had gehoord.

'Ja. Kan ik hem alstublieft even spreken?'

'Ik vrees dat u het verkeerde nummer hebt gedraaid.'

'Welk nummer heeft u dan?'

'U spreekt nu met Guildford drie-een-acht-acht-vijf.'

'Guildford?' De stem klonk hogelijk verbaasd. 'Dat spijt me ontzettend. Ik vrees dat ik inderdaad het verkeerde nummer heb.' Onmiddellijk nadat het laatste woord was uitgesproken werd de verbinding verbroken.

Met afkeer staarde Sam naar de zoemende hoorn in zijn hand en legde hem weer op de haak. Hij liep om het bureau heen en ging op de stoel erachter zitten, zich dwingend tot het openen van de aan zijn ouders geadresseerde brieven. Hij stak de briefopener met ivoren heft in de eerste enveloppe, maar nog voor hij de tijd had gehad om de enveloppe open te ritsen verstijfde hij plotseling. Toen draaide hij zijn hoofd om en staarde naar de zwijgende telefoon. Hij had zich herinnerd waar en wanneer hij de naam Hogarth al eens eerder had gehoord.

2

De garage van de gebroeders Webster was te vinden in een zijstraat van Hammersmith Broadway. Een hoog, gestyleerd afdak beschermde de vier benzinepompen tegen de regen. Volgens een reclamebord werd hier benzine van viersterren-kwaliteit verkocht; een tweede reclamebord verkondigde dat girochèques en creditcards werden aangenomen. Er stonden op de parkeerplaats voor de garage diverse auto's geparkeerd. De opvallendste daarvan was een wijnrode Lotus Elite. Een bordje achter het spiegelglas van de showroom gaf in hoofdletters aan: AUTOVERHUUR ZONDER CHAUFFEUR – AANTAL KILOMETERS ONBEPERKT.

Sam reed de benzinepompen voorbij en parkeerde zijn auto naast de Lotus. Hij wierp er een bewonderende blik naar, terwijl hij het portier van zijn Porsche sloot en koers zette naar de ingang van de showroom. Hij was halverwege toen de deur plotseling openzwaaide. Voor wat de man die naar buiten kwam betrof had Sam evengoed lucht kunnen zijn, want hij liep rakelings langs hem heen zonder hem zelfs maar een blik waardig te keuren. Sam, wiens brein instinctief een denkbeeldige foto registreerde van iedereen die hij tegenkwam, nam vlug de ontevreden mond, de dicht opeen staande ogen, het kalende hoofd en de handen van de man op, handen die hij haastig in zijn broekzakken stak. Hij was een slecht geconserveerde dertiger, van het soort dat Sam op het eerste gezicht placht te wantrouwen.

Sam draaide zich niet om, voor hij de deur van de showroom openduwde. Als hij dat wèl had gedaan zou hij hebben gezien hoe de ander hem met intense belangstelling stond na te kijken alvorens het portier van de Lotus te openen.

In de showroom was een uitgebreide collectie nieuwe en gebruikte wagens uitgestald. Op het eerste gezicht leek er niemand aanwezig te zijn, maar even later ontdekte Sam het kantoortje in een zijnis van de grote ruimte. Achter een bureau zat een jeugdig uitziende man paperassen te sorteren.

Sam had gelegenheid hem uitvoerig te monsteren, terwijl hij over de strook tapijt die de showroom in twee helften verdeelde naar het bureau kuierde. De man droeg een lichtblauw pak, een overhemd met brede strepen en een stropdas, verfraaid met een patroon van goudkleurige bladeren. Hij droeg geiteleren schoenen en had een ring aan een van zijn handen.

Hij keek pas op toen Sam in zijn blikveld verscheen.

'Goedemiddag, meneer. Kan ik u helpen?'

'Meneer Brewster?'

'Dat ben ik,' antwoordde de vennoot opgewekt. 'Peter Brewster.'

'Ik ben inspecteur Harvey.'

'Ik weet 't, ja. Ik heb u herkend.'

'Ik zou u dankbaar zijn als u een paar minuutjes voor me vrij kunt maken, meneer Brewster.'

Brewster schoof zijn stoel achteruit en stond op.

'Maar natuurlijk. Alleen ben ik al ondervraagd door een van uw collega's. Een zekere Bottomley.'

'Bellamy,' verbeterde Sam, zonder een spier te vertrekken.

'O, pardon. Bellamy.'

'Wanneer was dat?'

'Vanmorgen vroeg. Hij stond me hier op te wachten toen ik aankwam. Niet bepaald een beminnelijk type, die Bellamy van u.'

'Hij bedoelt het niet kwaad.'

'Dan zou ik me bijna lelijk hebben vergist.'

Sam onderdrukte een glimlach.

'U moet dit meer beschouwen als een persoonlijk vraaggesprek, meneer Brewster.'

'Gesnopen. Ga uw gang maar. Als ik u kan helpen zal ik het niet laten.' Hij gebaarde naar de rechte stoel tegenover zijn bureau. 'Gaat u zitten.'

Sam gaf gehoor aan deze uitnodiging en boog zich naar voren. 'Wie, meneer Brewster, was de jongedame die mijn moeder en vader naar het vliegveld heeft gereden?'

'Ze heet Foster. Jill Foster.'

'Is het mogelijk dat ik even een babbeltje met haar maak?'

'Ik ben bang dat dàt momenteel niet zal gaan. Ze is gaan lunchen. Ze is nog maar net weg, eigenlijk.' Hij schoof z'n manchet omhoog om zijn horloge te raadplegen. 'Ze zal om een uur of drie wel terug zijn.'

Toen hij Sams aarzeling opmerkte voegde hij eraan toe: 'Als het erg dringend is kunt u haar vinden in dat Italiaanse restaurantje om de hoek.'

'Dank u.' Sam maakte echter geen aanstalten op te staan. 'Meneer Brewster, toen juffrouw Foster mijn vader bij Waterloo Station voor de eerste maal zag, sprak ze hem aan met de naam Hogarth.'

'Hogarth?' Brewster scheen er werkelijk geen touw aan te kunnen vastknopen.

'Precies.'

'Ik kan me niet voorstellen waarom ze dat deed. Ze wist hoe hij heette – ze beschikte over alle bijzonderheden van de boeking. We instrueren onze chauffeurs zo volledig mogelijk voor ze hier wegrijden.'

'Naar het schijnt heette haar vorige passagier van die ochtend Hogarth –'

'Haar vorige passagier, zegt u?'

'Ja. Dat is de reden voor mijn komst. Ik zou u dankbaar zijn als u mij iets meer kon vertellen.'

'Juffrouw Foster heeft die ochtend geen andere passagier vervoerd,' viel Brewster hem nadrukkelijk in de rede. 'Ze stapte pas om ongeveer kwart over negen in die wagen en is er rechtstreeks mee naar Waterloo Station gereden.'

'Dat weet u zeker?'

'Helemaal.'

Sam bestudeerde hem met die vriendelijke, wat geamuseerde uitdrukking waarmee hij zo dikwijls de mensen die hij ondervroeg wist te ontwapenen. Brewster beantwoordde zijn blik bedaard en wendde zijn ogen pas af toen er een medewerker in een witte jas verscheen, die hem een met een paperclip bijeengehouden stapeltje formulieren overhandigde. De man gunde Sam een knik en een glimlach voor hij weer naar de werkplaats verdween.

'Hoe lang werkt juffrouw Foster al voor u, meneer Brewster?'

'Jill is al een maandje of vier, vijf bij ons. En ze is erg betrouwbaar. Ik wilde dat ik er zo nog een paar had! Bovendien is ze leuk om te zien, iets waarop het merendeel van onze klanten duidelijk prijs stelt.'

'Heeft inspecteur Bellamy juffrouw Foster ondervraagd?'

'Nou en òf! En ik mag er wel bij aantekenen dat hij tegenover haar een stuk beleefder was dan tegenover mij,' zei Brewster grijnzend.

'Misschien omdat u een stuk minder leuk bent om te zien?' Brewster begon te lachen, toen Sam opstond. 'Alvast bedankt, meneer. Ik zal verder geen beslag leggen op uw tijd.'

'Och, dat zit wel goed. Als er soms nog iets is, weet u waar u me kunt vinden.'

Toen Sam Harvey de deur van de showroom achter zich had dichtgetrokken beende Brewster door de grote ruimte naar de grote ruiten van spiegelglas en keek hem na, toen hij langs zijn auto naar de hoek van Drysdale Villas en Hammersmith Broadway begon te lopen.

Het Bella Napoli was een klein maar gezellig restaurant. De eigenaar had zich duidelijk uitgesloofd om een Italiaans sfeertje te creëren. Een van de muren werd helemaal in beslag genomen door een in schreeuwende kleuren uitgevoerde muurschildering van de baai van Napels, geschilderd door een kennis met artistieke ambities. Overal aan het plafond hingen Chianti-mandflessen. Langs een andere muur was een enorm visnet gedrapeerd, verlevendigd met kreeften en krabben van papiermaché.

De kelner keek een tikkeltje bezorgd op, toen hij Sam vanuit de zonovergoten straat binnen zag stappen. Het was al bijna drie uur en hij had zojuist een van z'n laatste klanten de nota gebracht. Sams binnenkomst betekende dat hij de kans om de wedstrijd Arsenal – Juventus op de televisie te zien wel gedag kon zeggen. Maar in plaats van achter een tafeltje te gaan zitten liep Sam rechtstreeks naar het knappe meisje aan een van de hoektafeltjes. Ze had al betaald en sloot juist haar tasje, klaar om te vertrekken.

Ze keek op, toen ze merkte dat er iemand op haar tafeltje

33

toe kwam lopen. Ze was duidelijk verbaasd bij het zien van Sam, maar uit niets bleek dat ze door zijn komst verontrust werd.

'Juffrouw Foster –'

'Wel, kijk eens aan. Lachend keek ze naar hem op. Op de achtergrond bleef de gedempte beat van de cassetterecorder hoorbaar.

'Bij Brewster vertelden ze me dat ik u hier zou kunnen vinden. Mag ik even gaan zitten?'

'Tja –'

'Ik zal u niet lang ophouden.'

'Ik moet om drie uur weer op m'n werk zijn en wil niet te laat komen.'

'Wat ik u te zeggen heb zal niet meer dan een paar minuten in beslag nemen.'

'Goed dan.' Ze knipte haar tasje dicht en zette het op de gecapitonneerde zitting van de plaats naast haar. Sams terloopse, vriendelijke manier van doen was ontwapenend. De informele kleren die hij droeg stelden haar veel meer op haar gemak dan ze zich tegenover inspecteur Bellamy had gevoeld. Met haar opmerkzame, vrouwelijke blik nam ze nota van zijn lange, slanke vingers met hun keurig verzorgde nagels, zijn haastig gekamde en door de wind verwarde haar en het notitieboekje met balpen in de borstzak van zijn gebreide vest.

Terwijl Sam de stoel tegenover haar aan het tafeltje achteruit trok veranderde de uitdrukking op haar gezicht en zei ze: 'Ik ben ontzettend geschrokken toen ik het las van uw ouders. Ik kòn het eenvoudig niet geloven.'

'Juffrouw Foster, aangezien u duidelijk haast heeft zal ik meteen ter zake komen. Toen u mijn vader bij Waterloo Station aansprak noemde u hem Hogarth.'

'Is het werkelijk?' zei ze hogelijk verbaasd.

'Ja. U vroeg hem of hij een huurauto van Brewster Bros had besteld. En toen hij dat bevestigde antwoordde u: 'Wacht u hier maar even, meneer Hogarth.'

'Ik kan me niet herinneren dat te hebben gezegd.'

'Werkelijk niet?'

Ze schudde vol overtuiging het hoofd. 'Nee. Ik ben bang

van niet.'

'Maar – maar *dit* kunt u zich toch zeker wel herinneren? U raadpleegde de lijst met gegevens die u bij zich had en zei, bij wijze van verklaring, dat meneer Hogarth uw vorige passagier was geweest.'

'Het spijt me, maar ik kan me daar volstrekt niets van herinneren. Feitelijk moet u zich vergissen. Ik had die ochtend maar één rit – en wel om uw vader en moeder naar de luchthaven te brengen.' Sams onderarmen lagen nu op tafel en hij keek haar met die bedaarde, lichtelijk geamuseerde uitdrukking op zijn gezicht strak aan. 'En als u me niet gelooft kunt u het navragen bij meneer Brewster. Hij legt alle afspraken vast.'

'Ik hèb al een babbeltje met meneer Brewster gemaakt.'

Ze scheen zich er niet over te verbazen.

'En wat zei hij?'

'Hij bevestigde wat u mij zojuist hebt verteld.'

'Nou – ziet u nu wel!' Ze toonde een ontwapenende glimlach. 'Dat zal ongetwijfeld voldoende voor u zijn. Waarom heeft u 't me desondanks gevraagd?'

'Omdat ik zojuist in het huis van mijn ouders in Guildford ben geweest,' antwoordde Sam, op wiens gezicht een hardere trek was verschenen. 'Terwijl ik daar was belde er iemand op die beweerde dat hij een mededeling had voor meneer Hogarth. Ik vond het op z'n zachtst gezegd een eigenaardig toeval dat u mijn vader met diezelfde naam aansprak.'

'Maar dat hèb ik niet gedaan!' Ze tastte weer naar haar tasje. 'Trouwens, het klinkt mij niet bepaald als iets belangrijks in de oren.'

'Niet belangrijk, juffrouw Foster?'

'Nee. Het overkomt mij zelf ook geregeld dat ik een verkeerd nummer draai en de verkeerde aan de lijn krijg.'

'Is dat zo? Daar verbaas ik me over.'

Ze keek hem uitdagend aan en Sam werd zich er opeens van bewust dat ze aantrekkelijk was zonder echt mooi te zijn. Ze had haar donkere haar met een scheiding precies doormidden gedeeld en achterover gekamd, waardoor haar hoge jukbeenderen werden geaccentueerd. Om een of andere reden hield ze haar handen geen ogenblik stil. Ze verschoof onophoudelijk het bord en het bestek voor haar op tafel, vouwde de nota beurtelings open en dicht en frunnikte aan haar mouwen of aan de kraag van haar donkere mantelpakje.

Koeltjes vroeg ze: 'En is dat de enige reden waarom u mij wilde spreken?'

'Nee, niet de enige. Had u mijn vader al eens eerder ontmoet?'

'Ik had uw ouders geen van beide ooit gezien, toen ik ze bij Waterloo Station ging afhalen. Meneer Harvey, zal ik u eens zeggen wat ik ervan denk?'

'Heel graag,' zei Sam uitnodigend, terwijl hij beleefde belangstelling liet blijken.

'Volgens mij moet u die naam Hogarth ergens anders hebben gehoord. Misschien heeft een van uw collega's hem ooit genoemd, of las u hem in een krant of in een boek.'

'Is dat werkelijk wat u ervan denkt?'

'Ja, dat is het.'

'Nou – zal ik u dan zeggen wat *ik* ervan denk?' Sam staarde haar heel even aan. Zonder zijn gelaatsuitdrukking te veranderen of een andere toon aan te slaan, vervolgde hij: 'Ik denk dat u zit te liegen, juffrouw Foster.'

Plotseling was de lach van haar gezicht verdwenen, waren haar ogen half gesloten en was de zorgvuldig in stand gehouden indruk van zelfverzekerdheid ongedaan gemaakt. Ze stond abrupt op, hing het tasje aan haar schouder en beende het restaurant uit.

Dit keer draaide hij zich niet om teneinde haar aftocht bewonderend gade te slaan, maar bleef hij aandachtig naar zijn handen zitten staren, vooral naar het glanzende kuiltje aan de binnenkant van zijn rechter wijsvinger.

Sam had honger toen hij in zijn flat was teruggekeerd. Het was half vier geweest en sinds het ontbijt had hij nog niets gegeten. Hij liep de keuken in, maakte een paar boterhammen met kaas voor zichzelf klaar en wandelde naar de zitkamer terug. Voor zijn bureau bleef hij staan en las nog eens de met de hand geschreven tekst voor het volgende hoofdstuk van zijn nieuwe boek door. Nadat hij het laatste stukje brood naar binnen had gewerkt ging hij, nog altijd kauwend, zitten, pakte zijn pen en begon te schrijven.

Nu hij in de geest weer onder de dieren vertoefde die voor hem even werkelijk waren geworden als de mensen uit zijn leven, was hij zich volstrekt niet meer bewust van het verstrijken van de tijd.

Hij schrok op van het rinkelen van de deurbel, dat hem tot de werkelijkheid van het moment terugriep. Met een frons van ergernis legde hij zijn pen neer. Hij wreef de plek waar de pen tegen zijn middelvinger had gedrukt, toen hij door de gang liep om open te gaan doen. Nog voor hij de deur had bereikt rinkelde de bel opnieuw. De man die de knop stond in te drukken keek geschrokken op toen de deur plotseling openging. Hij trok zijn wijsvinger terug alsof hij zich had verbrand, maar had zijn houding al spoedig hervonden. Ondanks zijn gebrek aan zelfverzekerdheid maakte hij met zijn nieuwe overjas, de geruite pantalon van zijn pak en zijn elegante, dunne paraplu een welvarende indruk. Hij droeg een bril met gouden montuur.

'Meneer Harvey?'

'Inderdaad.'

'Randell is de naam. Walter Randell. M'n vrouw, Margaret, woont naast uw vader en moeder in – o, neemt u mij niet kwalijk, vergeeft u mij – eh, ze woont naast het huis waarin –'

'Wat kan ik voor u doen, meneer Randell?' viel Sam hem in de rede, teneinde een eind aan de voor Randell pijnlijke situatie te maken.

'U bent natuurlijk druk bezet en hebt de laatste dagen ongetwijfeld genoeg zorgen aan uw hoofd. Maar toch zou ik graag even met u praten, als u tenminste –'

'Maar natuurlijk. Komt u binnen.'

'Dank u. Heel vriendelijk van u.'

Op Sams uitnodiging hing hij zijn jas en paraplu aan de kapstok in de gang, om vervolgens – voortdurend frunnikend aan zijn bril, die blijkbaar niet lekker zat – Sam naar de zitkamer te volgen.

'Ik weet niet of u mijn vrouw eigenlijk nog gesproken hebt –'

'Ja, dat heb ik. Neemt u plaats. Iets drinken, misschien?'

'Nee, dank u,' antwoordde Randell wat stijfjes. 'U zegt dat u Margaret al hebt ontmoet?'

'Vluchtig,' antwoordde Sam, zich op de vlakte houdend.

'Welke indruk kreeg u van haar?'

'Welke indruk?' Deze vraag, in zo'n vroeg stadium van het gesprek gesteld, verraste Sam. 'Tja – als u 't mij vraagt – ik mag haar wel.'

'O ja, de mensen mogen haar inderdaad, in het begin.' Randell nam plaats in de hem aangewezen stoel. 'Ze kan zich heel oprecht voordoen en beschikt over een oppervlakkig vernisje van charme dat wonderen doet. Meneer Harvey, waarschijnlijk zult u denken dat mijn bezoekje hier wat te ver gaat, omdat ik heel eerlijk gezegd maar voor één ding ben gekomen. Ik kom u waarschuwen.'

Zijn blik kruiste die van Sam toen hij dit zei. Onwillekeurig moest Sam om deze melodramatische verklaring glimlachen.

'Mij waarschuwen? Waarvoor dan wel?'

'Voor mijn vrouw.'

'U wilt mij voor uw *vrouw* waarschuwen, meneer Randell?'

'Omdat ze hèèl anders is dan ze zich voordoet.'

'Is er wel één mens die zo is als hij zich voordoet?'

'Ik geloof niet dat u het helemaal begrijpt.' Uit de toon die Randell aansloeg bleek duidelijk dat hij teleurgesteld was over Sams reactie. Hij verschoof zijn bril. 'Margaret *praat*, ziet u. Daar bedoel ik mee dat ze roddelt. Ze strooit leugens rond. Ze verzint zelfs allerlei verhaaltjes, alleen maar om indruk op de mensen te maken. Daar komt nog bij dat ze de gewoonte, een tamelijk verontrustende gewoonte zelfs, heeft om te zeggen: "Ik ben erg eenzelvig." Nou, dat is wel het laatste dat ze is! Al zou iemand het nog zo graag willen geloven!'

Het venijn dat in 's mans stem doorklonk was beschamend.

'Meneer Randell, wat zit u nu eigenlijk dwars?'

'Wat me dwars zit?'

'Ja. Als het dat gesprekje is dat ik met uw vrouw heb gehad kunt u gerust zijn. Ze heeft me over u niets, maar dan ook helemaal niets verteld. Uw naam is niet eens gevallen.'

'Het interesseert me niet wat mijn vrouw u wel of niet heeft verteld.' Randell stond op. 'Ze heeft in het verleden al zoveel leugens over ons huwelijk en onze relatie rondgestrooid, dat ik tamelijk immuun voor dat soort dingen ben geworden. Ik ben hier alleen maar naartoe gekomen om u te waarschuwen. Om u te waarschuwen dat Margaret zich vroeg of laat met *uw* zaken zal gaan bemoeien.'

'Wat bedoelt u daar precies mee?' In weerwil van zichzelf werd Sam hoe langer hoe minder geneigd de waarschuwing al te luchthartig op te nemen.

'Volgens mij weet u wel hoe ik dat bedoel. Ik heb 't over recente gebeurtenissen, meneer Harvey. Over wat uw vader en moeder overkomen is. Gelooft u mij, ik kèn dat lieve vrouwtje van me. Ze zal doodeenvoudig geen weerstand kunnen bieden aan de verleiding zich op een of andere manier in uw zaken te mengen.'

De beide mannen staarden elkaar even aan.

'Wel, dan dank ik u voor de waarschuwing.'

'En ik dank u vanwege het feit dat u me even hebt aangehoord.' Randell was weer overgeschakeld op een minzame gesprekstoon. 'Ik vermoed dat u 't wel heel raar zult vinden dat ik zo over m'n vrouw praat.'

'Och, we zijn allemaal een beetje raar, meneer Randell, op de een of andere manier.'

Randell haalde z'n portefeuille tevoorschijn. 'Hier heeft u m'n kaartje. Er komt misschien nog een dag waarop u contact met mij wenst op te nemen. Al was het alleen maar om te zeggen: "Man, wat heb je gelijk gekregen!'

Sam stond op vriendschappelijke voet met de assistente van de plaatselijke vestiging van de Openbare Bibliotheek. Even na negenen, de volgende ochtend, belde ze hem op en vertelde hem dat het naslagwerk waarom hij had gevraagd was binnengekomen en dat ze het voor hem vasthield.

Mevr. Carr zou om half tien arriveren. Aangezien ze alleen een sleutel had voor het Yale-slot, draaide hij het extra insteekslot niet dicht, toen hij de deur uitging. Het was een frisse, koele ochtend en Sam besloot naar de bibliotheek te wandelen. Hij had behoefte aan een frisse neus en een helder hoofd, nadat hij tot twee uur 's nachts had doorgewerkt. De wandeling kostte hem twee keer tien minuten, zodat hij al om vijf voor half tien terug was.

Hij bladerde het boek langzaam door om de illustraties te bekijken, terwijl hij de trap naar de deur van zijn flat beklom. Werktuigelijk tastte hij in zijn zak naar de sleutel. Toen hij hem in het Yale-slot probeerde te steken zwaaide de deur al vanzelf open.

'Mevrouw Carr?'

Geen antwoord. Geen geluid van een stofzuiger of lopende kraan. Hij legde het boek op het tafeltje in de gang neer en liep langzaam naar de zitkamer, zijn handen klaar ter verdediging. In de kamer heerste een onbeschrijflijke wanorde. De boeken waren van de planken getrokken en het dressoir was geopend, waarna de inhoud over de grond was uitgestrooid. De kussens van de fauteuils en zitbank waren eraf gegooid. Zijn bureau was het grondigst doorzocht; de bladzijden die hij zo netjes op elkaar had gelegd lagen doorelkaar en de helft was op de grond terechtgekomen.

In de verwachting er een soortgelijke chaos aan te treffen liep hij naar de slaapkamer. Hij had net voldoende tijd om op te merken dat er zo te zien niets was aangeraakt, voordat hij tussen de deur en het bed een gedaante zag liggen, met het gezicht voorover. Behoedzaam, voor het geval dat het een trucje was, naderde hij de gestalte en draaide het hoofd opzij. Voor één keer was de knorrige uitdrukking op Bellamy's gezicht verdwenen. Hij had plaatsgemaakt voor een starre uitdrukking van verbazing, met open mond. Gelukkig had zijn tong de luchtpijp niet geblokkeerd en ademde hij nog.

Sam liep rechtstreeks naar de telefoon en draaide 999. Hij vergat dat hij ontslag had genomen en gebruikte zijn rang om met de meeste spoed een ambulance te laten komen.

Terwijl Ronald Bellamy weer tot zijn positieven kwam raasde de ziekenauto al met gillende sirene en flikkerende zwaailichten over Cromwell Road. Als er een inspecteur van politie in elkaar is geslagen slaan alle stoppen door.

Plotseling greep hij naar de zijkant van zijn hoofd en kreunde. 'Wat is er gebeurd?'

'Je ligt in een ambulance,' legde Sam hem vanaf de brancard aan de andere kant van de auto uit.

'Ik was in jouw flat.' Bellamy probeerde rechtop te gaan zitten, maar de ziekenbroeder duwde hem zachtjes achterover. Hij kon nog niet duidelijk articuleren. 'Ongelooflijke troep, zeg. De hele boel overhoop gehaald. Ze zochten iets. Ik weet nog dat ik de slaapkamer in liep –'

'En toen heeft iemand je een oplawaai verkocht. Heb je iemand gezien?'

'Nee. O, God! M'n kop knalt uitelkaar!'

Ze werden alledrie opzij gedrukt toen de ambulance een scherpe bocht nam.

'Wat voerde je in mijn flat uit?'

'Ik wilde je even spreken. Ze hebben mij de zaak Marius of Rye toegewezen. Ik was van plan je wat vragen te stellen over je ouders.'

Bellamy's hoofd werd in hoog tempo helderder.

'Waar brengen jullie me heen?'

'Het ziekenhuis.'

Opnieuw probeerde Bellamy rechtop te gaan zitten. 'Niet naar 't ziekenhuis, in godsnaam! Laat die doktoren met hun handen van me afblijven! Ik mankeer niets – hooguit een buil op m'n –'

'Je kunt een hersenschudding hebben opgelopen, of misschien zelfs hersenletsel,' hield Sam hem voor. 'Hoe dan ook, er zal even naar je gekeken moeten worden. Hoe ben je de flat binnengekomen?'

'De deur was niet helemaal dicht. Ik dacht, "Hè, dat is gek," liep naar binnen en zag dat de hele boel overhoop was gehaald. Kennelijk was alles doorzocht. Die ellendeling moet achter de slaapkamerdeur hebben gestaan. Ja, ik weet 't, dat hoef je me niet te zeggen! Nooit een kamer binnenstappen zonder de deur hard open te smijten!'

'Nu heeft-ie volgens mij wel genoeg gepraat, meneer,' zei de ziekenbroeder. 'Met hoofdverwondingen weet je 't maar nooit. Het lijkt me beter om hem, totdat de dokter hem heeft onderzocht, niet meer –'

Teneinde aan de veilige kant te blijven besloot de dokter Bellamy nog vierentwintig uur onder observatie te houden – ondanks alle protesten van het slachtoffer. Sam belde Sinclair op in zijn kamer op de Yard, om hem op de hoogte te brengen van het gebeurde.

'Doorzocht?' herhaalde Sinclair. 'Bewaar je kostbaarheden in je flat?'

'Ze hadden geen belangstelling voor kostbaarheden.'

'Hoe weet je dat?'

'Bert, ik ben lang genoeg bij de politie geweest om –'

'Goed, goed. Waar waren ze dan wèl op uit, volgens jou?'

'Dat zal ik pas kunnen beoordelen als ik de kans heb gehad de tent wat grondiger te onderzoeken. M'n eerste zorg was Bellamy naar het ziekenhuis brengen.'

'Ik zal een patrouillewagen sturen om je naar huis te brengen,' zei Sinclair kortaf. 'Zorg dat je bij de ingang van het ziekenhuis staat. En bel me, zodra je de kans hebt gehad je flat te controleren.'

'O, meneer Harvey!'

De uitdrukking op het gezicht van mevr. Carr verried eerder medelijden dan boosheid. Ze had zich altijd ruimhartig opgesteld ten aanzien van Sams slordigheid, maar de chaos die ze bij haar binnenkomst vanmorgen had aangetroffen was werkelijk teveel voor haar.

'O, grote God! U heeft alles al opgeruimd!'

Zuchtend legde Sam zich bij het onvermijdelijke neer. Hij deed z'n best om niet al te gefrustreerd te kijken.

'Och, ik heb gedaan wat ik kon. Ik dacht bij mezelf, hij heeft zeker naar het een of ander gezocht dat hij nergens kon vinden en werd plotseling weggeroepen. Ik dacht, laat ik alles maar gauw aan kant brengen; alleen heeft 't me zoveel tijd gekost dat ik geen kans meer heb gezien iets schoon te maken –'

Ze had de kussens weer op de stoelen gelegd. De deurtjes van het dressoir waren netjes dicht, maar Joost mocht weten of hij ooit nog iets in het meubel terug zou kunnen vinden. Ook de boeken stonden weer op de planken. Op een gegeven moment zou hij wel tijd hebben om ze weer naar onderwerp te rangschikken. Maar zijn bureau –

'Het spijt me dat u zoveel moeite hebt moeten doen, mevrouw Carr,' zei hij, terwijl hij wanhopig naar de stapeltjes papier staarde, stapeltjes waarin uitgetypte kopijvellen en bladen vol met de hand geschreven tekst doorelkaar lagen. Het zag er opgeruimd en netjes uit. Maar het zou hem uren kosten voor hij de vertrouwde chaos had herschapen waarin hij alles gemakkelijk bij de hand had. Hij besloot haar niet op de hoogte te brengen van het bezoek van de insluiper en Bellamy's zo ongelukkig verlopen visite. Ze kon er alleen maar ongerust door worden. Misschien zou ze zelfs zo bang worden dat ze niet meer durfde te komen. 'Ziet u misschien kans wat van die verrukkelijke koffie van u te zetten?'

Ze zaten in de keuken koffie te drinken toen de deurbel rinkelde.

'Zoudt u misschien even willen gaan kijken wie er is, mevrouw Carr?'

'U verwacht hopelijk toch geen bezoek?'

'Nee. Mischien is het de post. Ik verwacht een boek.'

Sam bleef in de keuken, terwijl ze naar de deur liep. Hij trok zijn wenkbrauwen op, toen hij het geluid van stemmen bleef horen nadat de deur alweer dicht was.

Mevr. Carr kwam terug en fluisterde hem toe: 'Er is een dame om u te spreken, meneer.'

'Verdomme. Op deze manier komt er de hele morgen niets uit m'n handen!'

'Ik moest haar wel vragen binnen te komen, meneer. Ze zei dat ze een kennis van u is.'

'Ik zal haar maar even te woord staan, dat lijkt me het beste.' Sam zette zijn koffie neer en liep naar de zitkamer.

Margaret Randell had zich gekleed in de trant die zij geschikt achtte voor Londen. Sam wist te weinig van bont af om te kunnen zien of de mantel die ze droeg van echt nerts was of niet. Ze had een grote boodschappentas in haar hand. De tas was van plastic, maar van betere kwaliteit dan de meeste boodschappentassen. De bovenkant was afgesloten met behulp van een koord.

'Neem me niet kwalijk dat ik zo maar bij u kom binnenvallen,' begon ze. 'Maar er is iets heel belangrijks –'

'Leuk je weer te zien, mevrouw – eh – Margaret. Ga zitten, ga zitten.'

'Ik had u eigenlijk willen bellen, maar toen schoot me te binnen dat ik toch naar de stad moest en ik dacht, nou, misschien is het wel een goed idee om zelf even langs te gaan.'

'Dat was inderdaad een goed idee.' Sam beantwoordde haar lach. Ze had er een handje van zijn blik te willen vasthouden, alsof ze samen een geheimpje deelden.

'Normaal gesproken val ik niet onaangekondigd bij iemand binnen.' Ze stond nog altijd bij de zitbank, er de voorkeur aan gevend zijn uitnodiging om te gaan zitten te negeren. 'Ik ben zèlf nogal eenzelvig, ziet u, en daarom weet ik maar al te goed –'

Ze zette de boodschappentas op de zitbank en maakte haar bontmantel open.

'Werkelijk, ik ben heel blij je te zien,' verzekerde Sam haar. 'Wil je je jas niet even uitdoen en gaan zitten?'

Zijn blik had slechts even op de boodschappentas gerust, maar toch was het lang genoeg geweest om hem de kans te geven de naam te lezen die op het plastic was afgedrukt: MARIUS OF RYE.

3

Ze had haar ogen nog steeds op hem gericht toen hij opkeek. Hoewel zijn gezicht niets verried wist hij dat ze zijn reactie op de boodschappentas had bespeurd.

'Waar heb je die vandaan?'

'Dat is de reden waarom ik hierheen ben gekomen, de reden waarom ik je wilde spreken,' zei ze ernstig. 'Er is gisteravond iets gebeurd; iets waarvan jij op de hoogte behoort te zijn.' Ongemerkt had ze een vertrouwelijker toon aangeslagen.

'Goed, Margaret, leg het me maar uit. Maar kom nou eerst eens verder en ga zitten.' Bij het zien van haar aarzeling voegde hij eraan toe: 'Ik was net van plan een kop koffie te nemen. Doe je mee?'

'Graag.' Ze slaakte een zucht van opluchting, gerustgesteld door zijn vriendelijke houding. 'Een kop koffie zou heerlijk zijn. Heel aardig van je.'

Sam liep naar de keukendeur.

'We zouden allebei wel een kopje koffie lusten, mevrouw Carr. Er is geen haast bij.' Hij keerde terug naar zijn bezoekster, die inmiddels naar de zitbank was gelopen.

'Ben je vanmorgen uit Guildford gekomen?'

'Ja, met de auto.'

Hij trok een leunstoel dichterbij, zodat hij recht tegenover haar kwam te zitten.

'Zo, neem je gemak er maar van en vertel me wat er allemaal aan de hand is. Neem er de tijd voor.'

'Ik – ik slaap niet zo goed, de laatste dagen.'

'Dat vind ik vervelend voor je.'

'Daardoor word ik 's morgens telkens heel vroeg wakker. Meestal al om een uur of drie. Nu eens ga ik wat lezen, dan weer sta ik op om een kop koffie te zetten. Vanmorgen werd ik wat later dan anders wakker, kwart voor vier of daaromtrent. Ik liep naar de keuken en wilde juist het apparaat aanzetten, toen ik buiten iets hoorde dat leek op het tot stilstand komen van een auto. Ik keek door het raam, en ja hoor, voor het huis van de buren – voor het huis van jouw ouders – stond een auto geparkeerd. Ik bleef er een poosje naar staan kijken en zag tot m'n verbazing een jongetje uit het achterportier komen. Hij droeg een blazer en had iets in z'n handen dat leek op een pakje of een tas, of iets dergelijks. Hij liep de oprijlaan op – hij hinkte enigszins – maakte de voordeur open en verdween in het huis.'

In de korte stilte die er viel was te horen dat mevr. Carr in de keuken bezig was koffie te zetten.

'Je bedoelt toch, in *Pennymore*, het huis van mijn vader en moeder?'

'Ja.'

'En dat gebeurde vanmorgen om kwart voor vier?'

'Ja.'

Sam werd zich ervan bewust dat hij haar strak had aangestaard.

'Weet je zeker dat het een jongetje was?'

'Heel zeker. Een jongen van een jaar of twaalf, dertien. Ik bleef een poosje het huis in de gaten houden. Plotseling kwam de jongen weer tevoorschijn. Hij liep het gazon over, stapte in de auto en de auto reed weg.'

'Wie bestuurde de auto?'

'Ik weet vrijwel zeker dat het een meisje was, maar op dat vroege uur is het 's morgens nog tamelijk donker.'

'Maar de jongen heb je duidelijk kunnen zien?'

'Toen hij de oprijlaan opwandelde, ja. Hij kwam langs mijn keukenraam. Ik was helemaal van slag, ik wist eenvoudig niet wat me te doen stond. Weet je, je vader had me nadrukkelijk gezegd dat er maar twee sleutels bestonden – de jouwe, en de sleutel die hij mij had gegeven. Feitelijk heeftie me op de vriendelijkst mogelijke manier op het hart gebonden dat behalve jij en ik niemand het huis in mocht. Uiteindelijk kwam ik tot de conclusie dat ik er het verstandigst aan deed om na te gaan of die jongen soms iets uit het huis had weggenomen. Dus heb ik het hele huis gecontroleerd. Ik heb in iedere kamer rondgekeken. Voor zo ver ik kon zien ontbrak er niets en was er niets aangeroerd. Maar toen ik op het punt stond het huis te verlaten zag ik opeens deze boodschappentas. Hij stond op de planchette in de vestibule,

46

vlakbij het zijraampje. Ik snap niet dat ik hem niet dadelijk heb opgemerkt. Ik moet er rakelings langs zijn gelopen toen ik binnenkwam en het licht in de vestibule aanknipte.'

'Denk je dat die jongen hem daar had neergezet?'

'Dat weet ik wel zeker. Tenslotte had *hij* hem in zijn handen.'

Sam knikte naar de boodschappentas. 'Marius of Rye. Je bent je ervan bewust dat dit dezelfde naam is als op de bestelwagen waarin m'n vader en moeder werden aangetroffen, vermoord?'

'Ja, dat weet ik. Ik realiserde 't me dadelijk toen ik de tas zag.'

'Zat er nog iets in?'

'Ja, een map met een paar schetsen erin.'

'Schetsen?'

'Ja. Tekeningen. Tamelijk goeie, zelfs.'

Ze maakte het koord van de boodschappentas los en diepte er een grote bruine enveloppe van het formaat A4 uit op. Sam stond op en stak zijn hand ernaar uit. De rugzijde van de enveloppe was van karton, om te voorkomen dat hij zou worden opgevouwen. Hij was niet dichtgeplakt. Sam trof er drie grote potloodtekeningen in aan. Het waren afbeeldingen van enkele huizen aan een plein in Kensington, niet ver van zijn eigen flat. Hij herkende een van de huizen als The Boltons, SW 5. Ofschoon de tekeningen feitelijk niet meer waren dan ruwe schetsen, waren ze duidelijk het werk van een bekwaam kunstenaar.

'Ze zijn heel goed, vind je ook niet?'

'Inderdaad,' beaamde Sam. 'Dat vind ik ook. Ik neem aan dat je ze nooit eerder hebt gezien?'

'Nee, nooit. Ik begrijp er niets van! Waarom komt een joch van die leeftijd dergelijke tekeningen 's morgens om vier uur afleveren in het huis van jouw vader?'

'Ik weet 't niet. Ik heb er geen flauw benul van.' Hij verplaatste zijn blik van de tekeningen naar haar verbaasde gezicht. 'Je zegt dat die jongen een jaar of twaalf was?'

'Twaalf of dertien.'

'En hij hinkte enigszins?'

'Ja.'

Sam wees naar de boodschappentas.

'Heb je 't nog aan iemand anders verteld? Ik bedoel, over wat er vanmorgen is gebeurd?'

'Nee. Jij bent de enige die er van afweet.'

'Doe me dan een genoegen, Margaret. Vertel dit alsjeblieft verder aan niemand.'

'Als je dat graag wilt,' zei ze, terwijl ze hem oprecht bezorgd aankeek, 'zal ik dat natuurlijk nalaten.'

Hij schoof de tekeningen weer in de enveloppe, liet deze weer in de boodschappenmand glijden en ging weer zitten.

'Ik stel me voor dat jij de afgelopen twaalf maanden mijn vader en moeder geregeld heb meegemaakt?'

'We hebben elkaar veel gezien, ja. We waren niet alleen goeie buren, maar ook vonden we elkaar wederzijds erg aardig. Zoals ik je al heb verteld zijn ze heel vriendelijk voor me geweest, nadat Walter – nadat mijn huwelijk op de klippen was gelopen. Jouw ouders waren twee van de aardigste mensen die ik ooit heb ontmoet.' Ze klemde haar lippen opeen en zei hoofdschuddend: 'Waarom ze op deze manier vermoord moesten worden kan ik maar niet begrijpen.'

'Ik al evenmin. Maar ik ben vast van plan erachter te komen. Ik moet wel, al was het alleen voor m'n eigen gemoedsrust.'

'Dat begrijp ik. Ik wilde alleen dat ik je ergens mee kon helpen.'

'Misschien zou je een paar vragen willen beantwoorden, Margaret. Jij zult ze misschien onbelangrijk of zelfs niet ter zake vinden, maar –'

'Alsjeblieft!' moedigde ze hem aan. 'Je vraagt maar wat je wilt.'

'Heeft een van mijn ouders ooit tegen jou iets gezegd over een bezoek aan Rye?'

'Nee, nooit.'

'Hebben ze jou ooit voorgesteld aan iemand die uit dat oord afkomstig zou kunnen zijn?'

Ze dacht even na, maar schudde toen het hoofd. 'Ik kan niemand bedenken.'

'Zegt de naam Brewster Bros jou iets?'

'Brewster Bros? Nee. Wat is dat voor firma?'

'Een autoverhuurbedrijf in Hammersmith. Mijn vader huurde zo nu en dan een auto bij ze.'

'Nee, 't spijt me.' Ze glimlachte vluchtig tegen hem, teleurgesteld over het feit dat ze hem niets kon vertellen waar hij iets aan zou hebben. 'Ik heb nog nooit van dat bedrijf gehoord.'

'Deze gebroeders Brewster hebben een zekere Jill Foster in dienst. Het was juffrouw Foster die mijn vader en moeder naar het vliegveld heeft gereden. Heb je ook die naam nooit gehoord?'

'Jill Foster? Nee, het spijt me. Ik vrees dat ik je niet erg op weg kan helpen.'

'Dat geeft niet, maak je maar geen zorgen.' Sam besloot een wat algemener benadering te proberen. 'Vertel me eens – heb je in de omgang met mijn ouders ooit iets gehoord of gezien waarover je je ook maar in enig opzicht verbaasde?'

Ze schudde het hoofd en er verscheen een diepe rimpel in haar voorhoofd terwijl ze haar geheugen aftastte.

'Tja,' zei ze weifelend, 'er *is* een kleinigheid gepasseerd.'

'Vertel 't me maar.'

'Het had te maken met mijn man. Jij hebt Walter nooit ontmoet, dus is het voor mij moeilijk om – Nou ja, een maand of drie geleden kwam Walter me opzoeken. Er was een kwestie geweest over geld, over een gezamenlijke bankrekening die we allebei – Hoe 't ook zij, net toen hij wilde vertrekken zagen we jouw vader voor de deur van zijn huis staan. Hij nam blijkbaar afscheid van een kennis. Ik had die man nog nooit gezien, maar kennelijk herkende Walter hem, want toen ik hem ernaar vroeg snauwde hij: "Nou enòf! En ook dat rotwijf van 'm!" Later heb ik, gewoon uit nieuwsgierigheid, je vader gevraagd wie die kennis was, maar hij heeft het me niet verteld. Hij deed erg ontwijkend, wat eigenlijk niets voor hem was. Ik weet niet of je daar iets aan hebt?'

'Je zei zoëven dat ik je man nog nooit had ontmoet. Dat is niet zo. Ik heb hem namelijk pas gesproken. Hij is hier geweest en wilde me spreken.'

'Walter?' vroeg ze, duidelijk geschrokken.

'Ja.'

'Waarom zou Walter jou willen spreken?' Haar verbijsterde gelaatsuitdrukking maakte plaats voor een uitdrukking van woede. 'Grote God, nu weet ik waarom! Hij kwam jé zeker waarschuwen, hè? Waarschuwen voor mij! Wat-ie precies gezegd heeft weet ik niet. Ik heb geen flauw idee wat die schoft bijelkaar heeft gefantaseerd, maar ik wil er m'n laatste cent onder verwedden dat het zo is gegaan. Ik heb gelijk, hè, Sam?'

'Ja, zo is het gegaan, Margaret.'

'Dat doet-ie nou altijd.' Ze zocht in haar tasje naar een zakdoek. 'Iedere keer! Je kunt er de klok op gelijk zetten. Zodra ik vriendschap met iemand sluit, zodra ik iemand ook maar even aardig vind, moet hij – Hij heeft zelfs geprobeerd jouw vader en moeder tegen mij op te stoken!'

'Waarom zou-ie dat willen doen?' vroeg Sam zachtzinnig, om haar niet verder van streek te maken.

'Omdat hij Walter is! Daarom!'

Mevr. Carr koos dat ogenblik uit om met de veel te lang uitgebleven koffie binnen te komen. Ze zette het dienblad op de salontafel zonder in Margaret Randells richting te kijken.

'Ik heb er wat koekjes bij gedaan, meneer – voor 't geval u er trek in hebt.'

'O – fijn, bedankt, mevrouw Carr.'

De telefoon op Sams bureau begon te rinkelen.

'Neem me niet kwalijk.' Hij gebaarde naar de koffie. 'Ga je gang, Margaret.'

Terwijl hij de hoorn opnam tilde Margaret Randell de deksels van de kannen op om na te gaan welke koffie bevatte en welke melk.

'Sam? Met Bert, hier. Ben je alleen?'

'Nee.'

'Dat houdt in dat we niet vrijuit kunnen praten?'

'Dat klopt.'

'Zou je vanmorgen even bij me kunnen langskomen, op kantoor?'

'Schikt elf uur?'

'Hou 't maar op twaalf uur. Dan kunnen we samen iets gaan drinken.'

'Ik ben niet van gedachten veranderd, Bert, als je van plan mocht zijn daarover te beginnen.'

'Ik wèet dat je niet van gedachten bent veranderd, jij koppig ezels-. Nee, het gaat over dat meisje Foster. We beschikken over de inlichtingen die jij wilde hebben.'

'Ik begrijp het. Alvast bedankt.'

'Twaalf uur dus?'

'Ik zal er zijn.'

Sam had Margaret Randell gezegd dat hij terwille van zijn eigen gemoedsrust van plan was uit te zoeken wie zijn ouders had vermoord. Dat betekende echter niet dat zijn besluit de politie vaarwel te zeggen ook maar even aan het wankelen was gebracht. Ook zonder dat Sinclair hem dat kwam vertellen wist hij dat hij een uitstekende politieman was geweest. Dat werd afdoende bewezen door zijn snelle bevorderingen. Het zware, slopende werk schrikte hem niet af – de noodzaak om onophoudelijk door te gaan, de afstotelijke, onverkwikkelijke aard van zoveel zaken die hij had moeten behandelen, of zelfs de vijandige houding van een niet-begrijpend pubiek. In één opzicht was hij traag in zijn ontwikkeling. Of, juister gezegd, er was één aspect van zijn karakter dat laat tot ontwikkeling was gekomen. In de grond was hij een idealist met een gevoelige aard en een sterke drang tot creatief bezig-zijn. De laatste tijd was hij er zich steeds bewuster van geworden dat deze tegenstrijdigheid tussen de methodisch werkende politieman en de uit zijn vruchtbare fantasie puttende schrijver uit de wereld moest worden geholpen. En nu hij eenmaal gekozen had was hij niet van zins er op terug te komen.

Bij zijn binnenkomst zat Bert Sinclair in hemdsmouwen achter zijn bureau. Hij had zijn colbert over de rugleuning van een stoel gehangen. Zijn broek werd opgehouden door een schitterend paar bretels, in de kleuren knalrood en knalgeel. Een stel ouderwetse mouwelastieken voorkwam dat zijn manchetten voortdurend over de polsen van zijn tamelijk korte armen zakten. Hij gebaarde naar een stoel en stak zijn hand uit naar zijn pijp.

'Voor we het onderwerp Jill Foster aansnijden, zou ik

graag wat meer weten over gistermiddag. Is er iets gestolen bij je?'

'Nee, dat geloof ik niet. De hele flat was doorzocht, maar tot dusverre mis ik nog niets.'

'Enig idee wie het geweest zou kunnen zijn?'

Sam schudde ontkennend het hoofd.

'Dus feitelijk weet je niet of hij wel of niet gevonden heeft waarnaar hij op zoek was?'

'Ik ben bang van niet, nee. Tussen haakjes, hoe maakt Bellamy het?'

'Die zit weer achter z'n bureau, maar hij maakt een nogal geschokte indruk.'

Sinclair zwaaide zijn hand heftig heen en weer om de vlam van zijn lucifer uit te slaan, waarna hij het restant naast een stuk of twintig andere in zijn asbak deponeerde. 'Sam, wat is jouw mening over dat gevalletje? Houdt het volgens jou verband met de zaak Marius of Rye, of betreft het een ordinaire insluiping?'

'Dat lijkt me tamelijk onwaarschijnlijk. Want als het werkelijk een insluiping was, waarom heeft-ie dan niets meegenomen?'

'Ik denk dat Bellamy hem kwam storen en dat hij plotseling bang werd.'

'Het ìs een mogelijkheid, veronderstel ik,' zei Sam schouderophalend. 'Nou, vertel eens op over Jill Foster. Wat ben je over haar te weten gekomen?'

Sinclair boog zich voorover en pakte een vel papier op, vol geschreven met de notities die hij in zijn fijne, regelmatige handschrift placht te maken.

'Ze heet voluit Jill Lucy Foster. Ze is enigst kind. Haar beide ouders stierven toen ze dertien was, waarna ze verder werd grootgebracht door een oom en tante – een zekere heer en mevrouw Tedworth. Deze mensen wonen in Ipswich. Ze ging op haar zeventiende het huis uit en heeft een tijdlang een flat gedeeld met een meisje dat Rachel Dawson heet. Tegenwoordig woont ze alleen. Sinds ze in Londen is heeft ze vier baantjes gehad, telkens bij garages en autoverhuurbedrijven. Ik heb de adressen hier. Volgens juffrouw Dawson is ze stapel op auto's; ze moet er helemaal bezeten van zijn, want ze zou over niets anders denken of praten, volgens haar. Naar het schijnt heeft ze één grote ambitie in het leven: meedoen in de Rally van Monte Carlo.'

'Laten we hopen dat ze zo ver komt,' merkte Sam droogjes op. 'Hoe staat het met eventuele vrindjes?'

'Die schijnen er nog niet te zijn geweest. Voor zo ver ik erachter heb kunnen komen wordt ze uitsluitend verliefd op auto's. Momenteel schijnt ze het aan te leggen met een Jaguar XJ12.'

Sam schoot in de lach. 'Hoe kan zij zich in hemelsnaam een Jaguar veroorloven?'

'Hoe weet ik niet, maar wel weet ik dat het zo is. Ze is –' hij raadpleegde zijn notities '– een maand of vier bij Webster Bros, of iets langer.'

'Is dat alle informatie die je over haar hebt kunnen vergaren?'

'Nee, niet alles.' De hoofdinspecteur had de teleurstelling in Sams stem bespeurd, maar hield zijn verrassing nog even achter de hand. 'Ze werd twee jaar geleden gearresteerd – wegens winkeldiefstal.'

'Winkeldiefstal?'

'Och, het gebruikelijke liedje uit Oxford Street. Ze was een van de grote warenhuizen binnengewandeld en had voor een waarde aan vijftig pond achterover gedrukt.'

Met een zorgelijke rimpel in zijn voorhoofd schudde Sam het hoofd. 'Waaròm weet ik zelf nog niet, maar het lijkt mij nogal moeilijk te geloven, Bert.'

'Nou ja – kijk zelf maar eens.' Sinclair schoof hem zijn notities over het bureau heen toe. 'Je zult hier alle bijzonderheden in aantreffen.'

'Heeft ze de beschuldiging ontkend?'

'In alle toonaarden, maar dat hielp allemaal niets. Ze kreeg een half jaar voorwaardelijk. Het staat er allemaal.'

Sam nam het vel papier op. Hij zat de notities nog door te nemen, toen een geuniformeerde hoofdagent aanklopte en naar binnen stapte.

'Neem me niet kwalijk, meneer. Meneer Corby is aangekomen.'

'Meneer Corby?'

'Ja meneer. Hij heeft gisteravond gebeld, net toen u vertrok. Hij stond erop u persoonlijk te spreken te krijgen.'

'O, die knaap! Nu herinner ik 't me. Wat voor indruk maakt-ie op jou? Het klonk allemaal nogal verward, vond ik.'

'Moeilijk te zeggen, meneer. Best mogelijk dat-ie geschift is, maar aan de andere kant schijnt-ie nogal zeker van zichzelf te zijn.'

'Goed dan, stuur maar naar boven.' Terwijl de deur werd gesloten stond Sinclair op en begon zijn colbert weer aan te trekken. 'Ik weet niet of deze knaap gek is of niet. God weet dat we er de laatste paar jaar genoeg van dat slag hier hebben gehad. Je kunt me geloven of niet, maar gisterochtend hebben we tweeëntwintig telefoontjes gehad van mensen die erop wilden zweren dat ze de naam Marius of Rye hadden gezien! Een kerel ging zelfs zo ver te beweren dat hij het op een lijkwagen had zien staan. Maar ieder verrekt telefoontje was tijdverspilling.'

'Wat had deze Corby eigenlijk te vertellen?' vroeg Sam hem over zijn schouder.

'O, die belde gisteravond, net toen toen ik wilde weggaan naar een bespreking. Hij zei dat hij wat informatie voor me had over de zaak Marius of Rye en mij wilde spreken. Ik wist absoluut niet of ik hem nu wel of niet serieus moest nemen. Uiteindelijk heb ik hem, min of meer om van hem af te komen, verzocht vanmorgen bij me langs te komen.'

'Heb je hem niet gevraagd waaruit die informatie bestond?'

'Hij was niet bereid me dat via de telefoon te vertellen. Net toen ik wilde ophangen, zei hij: "Luister, hoofdinspecteur, ik ben gèen halve gare, als u dat soms mocht denken." En dat was natuurlijk nu juist wat ik van hem dacht.'

Sinclair had zijn colbert nog maar net aangetrokken en zijn manchetten tot de juiste lengte verkort, toen de hoofdagent terugkeerde en de bezoeker aankondigde. Hij bleek een kleine, gezette man te zijn, met een pafferig gezicht en een gretige uitdrukking in zijn onrustig heen en weer schietende oogjes. Hoewel hij ter hoogte van z'n kruin al kaal begon te worden was hij hooguit begin veertig. Hij droeg een kleine koffer bij zich.

'Meneer Corby?' Sinclair liep hem tegemoet.

'Inderdaad, meneer,' zei de man vriendelijk. 'Leo Corby.'

'Ik ben hoofdinspecteur Sinclair en dit is de inspecteur van de criminele recherche Harvey.'

Corby wierp Sam slechts een vluchtige blik toe alvorens te knikken. 'Ik weet al wie deze meneer is. Ik heb z'n foto de laatste tijd dikwijls genoeg gezien.' Zijn onrustige oogjes schoten terug naar Sam. 'Ik ben erg blij dat u er bij bent. Want ik meen dat ik een vraag kan beantwoorden die u zich de laatste paar dagen ongetwijfeld voortdurend zult hebben gesteld.'

'Ik heb mezelf de laatste paar dagen een massa afgevraagd.' Sam toonde hem zijn vragende, vage glimlach. 'Welke vraag had u precies in gedachten?'

'Ik heb 't over uw vader en moeder,' zei Corby. Hij staarde Sam strak aan, waarbij hij zijn ogen bij wijze van uitzondering eens niet afwendde.

'Dat had ik al half-en-half gedacht.'

'En over dat wat hen overkomen is nadat u op London Airport afscheid van hen had genomen.'

'Weet u dan wat hen overkomen is?' Er was nu een scherpere klank in Sams stem te beluisteren. Bert bleef aandachtig naar Corby's profiel staren.

'Ja, ik meen van wel. Eigenlijk ben ik er wel zeker van. Ze werden door iemand opgehaald.'

'Bij het vliegveld?'

'Ja.'

'Heeft u gezien dat ze door iemand werden opgehaald?'

'Nee. Of liever gezegd – ja, ja, min of meer wel –' Nerveus bracht Corby de koffer van z'n ene naar z'n andere hand over. Sam en Bert wisselden snel een blik uit waaruit Corby niets had kunnen opmaken, *als* hij er al iets van had gemerkt.

'Alstublieft, meneer Corby,' zei hoofdinspecteur Sinclair uitnodigend, 'gaat u toch zitten.'

'Dank u.' Corby nam zenuwachtig plaats op het randje van een stoel en plantte de koffer op zijn knieën.

'Zo,' begon Bert op geruststellende toon, 'misschien zoudt u ons nu eens precies willen vertellen wat u omtrent de heer en mevrouw Harvey weet.'

'Ik weet niets over hen. Behalve dan wat ik erover in de kranten heb gelezen. In feite zou ik, eerlijk gezegd, nooit hierheen zijn gekomen, als mijn vrouw er niet was geweest.'

'Uw vrouw?' Er klonk iets van ongeloof in Berts stem door.

'Ja, mijn vrouw drong erop aan dat ik u zou bellen. Als ik m'n zin had gekregen zou ik die film meteen terug hebben gebracht naar de winkel en eens flink op m'n poot hebben gespeeld. Ik zei tegen Betty – dat is mijn vrouw – "als je éen keer met de politie te maken krijgt –"'

'Welke film?' viel Bert hem in de rede, in de hoop de woordenvloed in te dammen.

Tevredengesteld door het effect dat hij had opgeroepen, trok Corby het gezicht van een goochelaar die op het punt staat een konijn uit z'n hoge hoed te toveren. Hij maakte de sloten van zijn koffertje open, diepte er een kleine filmtrommel uit op en legde die op het bureau. Terwijl Bert Sam aankeek alsof hij het gezonde verstand van Corby ernstig in twijfel trok, stapte Sam naar voren om de trommel op te pakken.

'Wat staat er op deze film?'

'Uw vader en moeder, bezig om London Airport te verlaten.'

'Om London Airport te verlaten?' riep Sam uit. 'Weet u 't zeker?'

'Ja, natuurlijk weet ik 't zeker!' zei Corby nadrukkelijk.

'Wie heeft deze film dan opgenomen?'

'Geen idee.'

'Dat weet u niet?' herhaalde Bert, niet in staat de ergernis in zijn stem te camoufleren.

'Allicht weet ik dat niet!' De kleine man verdraaide zijn stoel om de tweede ondervrager aan te zien.

'Maar... maar hoe komt u dan aan die film?'

'Per vergissing. Die idioot in de fotowinkel vergiste zich.'

Plotseling stond Corby op. Zelfs nu bevond zijn hoofd zich nog zo'n drie centimeter lager dan de hoofden van de beide politiefunctionarissen. 'Luister, ik weet niet hoe het met u beiden is gesteld, maar ik heb 't ontzettend druk en heb geen moment meer te verliezen. Lijkt 't u niet beter deze film eerst even te bekijken, voor we er verder over praten?'

Hij gebaarde naar de filmtrommel in Sams hand. Deze trok vragend zijn wenkbrauwen op naar Bert. De hoofdinspecteur liep naar zijn bureau, nam de hoorn van het toestel voor interne gesprekken en draaide een nummer.

De projectiezaal bevond zich twee verdiepingen lager dan de werkkamer van hoofdinspecteur Sinclair. Het was een smal vertrek zonder ramen, uitgerust voor het houden van dia-lezingen en het afspelen van videobanden of films. Boven de verhoging vooraan in de ruimte bevond zich een schoolbord ten behoeve van docenten en ook stond er een hoge lessenaar met filmprojector. Tegenover het oprolbare scherm stonden vier rijen stoelen.

Het scherm was al omlaag getrokken. Sam en Bert hadden op de achterste rij stoelen plaats genomen, met Corby tussen hen in. Op de voorste rij zat een rechercheur met een notitiebloc op zijn knie klaar, met naast hem inspecteur Bellamy. Er was op Bellamy's hoofd een plek kaalgeschoren, voor het bevestigen van een verband op de plaats waar zijn hoofdhuid een flinke jaap vertoonde. Hij had erop gestaan normaal dienst te blijven doen, wat voor iedereen die met hem te maken had slecht nieuws betekende. Bijna niemand kon zich goed houden bij het zien van zijn potsierlijke uiterlijk. Nu leek hij zich op een onredelijke manier op te winden over het feit dat de agent die de projector moest bedienen nog steeds geen kans scheen te zien de film af te draaien.

'Waarom moet het bij ons toch altijd zo *lang* duren?' klaagde hij, zijn hoofd half omdraaiend. Bert gaf Sam een knipoog en rechercheur Hunter probeerde zijn glimlach te onderdrukken.

'We zijn zo ver, dus u zegt het maar, heren!' riep een opgewekte stem hen toe vanuit het hokje achterin de zaal. De man had de hele tijd staan wachten op het teken om te beginnen.

Bellamy slaakte een kreet van ergernis en Hunter draaide

zich grijnzend om. 'Vooruit maar, Fred. Je kunt je gang gaan.'

De lichten werden uitgedaan. Na een reeks lichtflitsen en beverige kadertjes begon de film. Sam plantte zijn ellebogen op de leuning van de lege stoel voor hem en keek gespannen naar het scherm. Hij kon nauwelijks geloven dat hij op het punt stond zijn ouders terug te zien, en voelde niettemin een soort angstige verwachting in zich opkomen.

De eerste beelden waren duidelijk geschoten met de bedoeling te laten zien dat de handeling zich afspeelde op London Airport. Ze waren tamelijk onvast en Sam vermoedde dat ze vanuit het raampje van een rijdende auto waren genomen. Na enkele minuten leek de wagen langzamer te gaan rijden en werden de beelden stabiel. Sam herkende de omgeving van de ingang van Terminal 3. De zon scheen en het moest, te oordelen naar de hoek waaronder het zonlicht de gevel bescheen, een uur of drie 's middags zijn.

Terwijl de camera inzoomde op de ingang van de grote vertrekhal hoorde Sam de zware ademhaling van Bert Sinclair, twee stoelen verderop. Het enige andere geluid was het snorren van de filmprojector. Het was een griezelige ervaring naar een film zonder geluid te moeten kijken.

De meeste mensen die met bagage in hun handen de automatische deuren passeerden, gingen de vertrekhal in. Degenen die naar buiten kwamen hadden vrijwel geen van allen iets te dragen. Opeens verstijfde Sam. Hij had het stel dat naar buiten kwam dadelijk herkend. Beide mensen zeulden een zware koffer met zich mee en probeerden tegelijkertijd ook hun overige spullen vast te houden. Zijn ouders maakten een vermoeide, teleurgestelde indruk. Hannah had haar bontmantel aangetrokken om beide handen vrij te hebben.

De camera volgde hen op de voet, toen ze de rijweg overstaken, tussen de passerende auto's en taxi's door. Ze bereikten een van de langwerpige vluchtheuvels, waar auto's korte tijd mochten stilhouden voor het in of uit laten stappen van passagiers. Toen ze de hoge vluchtheuvel op stapten kwam een Jaguar XJ12 vlak naast hen tot stilstand. De auto werd bestuurd door een vrouw. Op het moment dat ze het portier opende en uitstapte keek ze recht in de lens. Ze droeg een lichtblauwe regenjas met bijpassende sjaal.

'Is dat het meisje Foster?' vroeg Bert.

'Ja,' antwoordde Sam, zonder het scherm ook maar even uit het oog te verliezen. 'Dat is Jill Foster.'

Blijkbaar was Jason Harvey niet verbaasd bij het zien van Jill Foster en haar Jaguar. Hij knikte haar kortaf toe en liep dadelijk naar de kofferruimte van de auto, die open bleek te zijn. Hij begon de koffers in te laden, terwijl Jill het achterportier voor Hannah openhield. Daarna smeet hij het kofferdeksel dicht en stapte, met zijn diplomatenkoffertje nog in zijn handen, in de auto, naast zijn vrouw. Aangezien er een verkeersagent in zicht kwam ging Jill Foster haastig weer achter het stuur zitten. De Jaguar reed weg van de vluchtheuvel, gevolgd door de filmcamera totdat hij helemaal uit het zicht was verdwenen, wegrijdend in de richting van de tunnel waardoor je het vliegveld kon verlaten.

Opeens werd het scherm verblindend wit. Van de projectortafel kwam het ratelende geluid van een afgelopen filmpje. Het licht werd aangeknipt. Sam knipperde met zijn ogen en slaakte een lange zucht.

Bert wierp een blik op Sam en wendde zich toen tot de ineengedoken gestalte van Corby.

'Bedankt voor het brengen van dit filmpje, meneer Corby,' zei hij, 'ervoor zorgend zijn opwinding niet te laten blijken. 'Vertel ons nu maar hoe het precies in elkaar zit. U zegt dat u deze film per vergissing heeft gekregen?'

'Ja. Ik kom vaak in een fotozaak die Surrey Snapshots heet,' verklaarde Corby, die bijzonder met zichzelf ingenomen leek te zijn. 'Hij wordt gedreven door een zekere Naylor. Ik zou u alleen niet kunnen zeggen of hij de eigenaar is of niet.'

'Waar is die fotozaak precies?'

'In Shepperton. Ongeveer een week geleden vroeg ik Naylor een film voor me te willen ontwikkelen – een filmpje dat ik in m'n vakantie had geschoten.'

'Waar was u met vakantie?'

'In Spanje. De vrouw en ik waren pas terug van de Costa del Sol – Costa del Sol, ha, zeg dat wel! – een dag of tien geleden, nu.'

Corby's spraakzaamheid leek weg te ebben. Bellamy had zich omgedraaid en zat hem nu nors op te nemen.

'Ga verder, meneer,' drong Bert aan.

'Om een lang verhaal kort te maken – gistermorgen stapte ik die winkel binnen. Die idioot van een Naylor zei me dat mijn film klaar was en gaf me de film die u zojuist hebt gezien. Later, toen ik thuiskwam, draaide ik de film af en viel mijn vrouw bijna flauw van opwinding.' Hij wierp een blik op Sam. 'Ze had net een paar krantefoto's van uw vader en moeder onder ogen gehad en herkende ze natuurlijk ogenblikkelijk.'

'Was er verder nog iemand bij toen u de film afdraaide?' Sam kon nog steeds dat wat hij zojuist had gezien moeilijk geloven.

'Nee. Alleen mijn vrouw.'

'Ga door, meneer Corby,' zei Bert.

'Tja, dat was het dan wel, zo ongeveer. Ik wilde de film terugbrengen naar de winkel, maar Betty wilde er niet van horen. Ze zei dat ik onmiddellijk contact moest opnemen met Scotland Yard.'

'U hebt een heel verstandige vrouw, meneer Corby,' verzekerde Bert hem.

Corby zelf leek er niet helemaal van overtuigd. 'Ja, dat is me wel meer gezegd,' zei hij vaagjes.

'U zei dat u altijd in deze fotozaak komt?' vroeg Bellamy indringend.

'Ja.'

'Hoe is de procedure precies?'

'Procedure?' Corby leek zich te ergeren aan Bellamy's snauwende toon.

'Ja, dat bedoel ik. Hoe is de gang van zaken precies, als u een film aangeeft aan meneer – eh – Naylor, zo heette hij toch, nietwaar?'

'Hij zegt me wanneer de film klaar zal zijn en dan haal ik 'm op,' verklaarde Corby strak. 'Dat is de hele gang van zaken.'

'Maar geeft hij u dan geen reçu? Krijgt u geen papiertje of iets anders met behulp waarvan de film kan worden geïdentificeerd?'

'Nee. Vroeger kreeg ik altijd een bon, maar tegenwoordig schijnt-ie dat te lastig te vinden. Ik krijg in elk geval niets. Hoe dat met de andere klanten gaat zou ik niet kunnen zeggen.'

'Hoe ziet deze meneer Naylor er eigenlijk uit? Beschrijf hem eens.'

Sam luisterde slechts met een half oor naar Bellamy's vragen en de antwoorden die Corby erop gaf. Hij was nog altijd niet bekomen van de schok die hij had moeten verwerken toen hij zijn ouders, nota bene op het tijdstip waarop ze onderweg hadden moeten zijn naar Australië, bij London Airport had zien wegrijden. Toen hij hen zo onverwachts en springlevend voor zich zag was het besef dat ze dood waren plotseling tot hem doorgedrongen. Opeens wist hij dat hij hen nooit levend zou terugzien.

'Hij zal achter in de dertig zijn, denk ik.' Corby hield zijn hoofd schuin. 'Hij heeft zo'n verrekt klein snorretje, dat maakt dat hij er ouder uitziet. Hij zegt nooit zoveel. Ongeveer een jaar terug heeft-ie eens een tafel bij me gekocht. En hij betaalde zonder meer wat ik ervoor vroeg, zonder een poging te doen om af te dingen – en dat gebeurt me niet elke dag.'

'Hij heeft een tafel van u gekocht?' Bellamy was nog steeds de man die de vragen stelde. Bert vond het allang best zo.

'Ja. Ik ben antiquair. Nou ja – zo noemt m'n vrouw het tenminste. Tweedehands spullen en allerlei rommel, u kent dat wel. Ik heb twee zaken. Een in Weybridge en een tweede in Addlestone.' Hij stond op. 'Dat herinnert me eraan dat ik op dit moment allang weg had moeten zijn.'

'O, ja – we zullen u niet langer ophouden, meneer.' Bert stond op om de man door te laten. De overige politiemannen schuifelden zijdelings de rij uit. 'En we zijn u bijzonder erkentelijk voor uw komst. De komende paar dagen zouden we graag willen dat u het volgende deed, meneer Corby. Om te beginnen moet u – en ook uw vrouw – met niemand over dit filmpje praten, begrijpt u? Ten tweede moet u uit de buurt blijven van die fotozaak en mag u onder geen enkele voorwaarde contact opnemen met die meneer Naylor.'

61

'Maar stel dat-ie *mij* belt? Stel dat-ie ontdekt dat hij een vergissing heeft begaan en die film terug wil hebben?'

'In dat geval zegt u hem dat u het veel te druk heeft gehad om de film zelfs maar te bekijken, en dat u hem wel even langs zult komen brengen. Maar verder doet u helemaal niets.'

'Dus niet brengen, bedoelt u? Goed.' Corby greep zijn koffertje met z'n ene hand en begon met z'n andere hand zijn regenjas dicht te knopen. 'Als u dat zo graag wilt is 't mij best.'

'Ja, dat willen we graag, meneer Corby.'

'En hoe staat 't met mijn eigen film?'

'Die krijgt u tezijnertijd wel terug, dat beloof ik u.' Bert schudde hem de hand. Corby draaide zich om, maar zag er-van af Bellamy en Sam eveneens de hand te schudden omdat ze te ver van hem af stonden.

'En nogmaals bedankt, meneer. Hunter, wil jij meneer Corby even naar beneden brengen?'

Zodra Corby en zijn escorte het filmzaaltje uit waren liep Bert naar de deur en deed die dicht.

'Nou, dat mag wel in de annalen! Wie die film heeft geno-men weet ik niet, en ook weet ik niet waarom. Maar één ding weet ik wel: dat meisje zou ons een stuk wijzer kunnen ma-ken, als ze bereid was haar mond open te doen. Laat de om-standigheden van die Naylor eens natrekken, Bellamy – en bel zelf meteen het politiebureau in Hammersmith. Zeg ze dat ze een bezoek moeten brengen aan Webster Bros. Ik wens deze Jill Foster vanmiddag om vier uur in jouw werk-kamer te zien.'

4

Surrey Snapshots was een kleine zaak in een achterafstraat in de Londense wijk Shepperton. De knusse etalage met boogvormige kozijnen lag stampvol met foto- en filmtoestellen en toebehoren. Volgens een bordje aan de binnenzijde van het raam was Surrey Snapshots het snelst met ontwikkelen en afdrukken van alle fotozaken in heel Londen. Een smalle steeg, net breed genoeg om een auto door te laten, maakte het mogelijk om de achteringang van de zaak te bereiken. Boven de winkel bevond zich een appartement, waarvan de voorste ramen voorzien waren van vitrage.

Enkele minuten nadat het bordje dat aan de binnenkant van de glazen deur hing was omgedraaid en nu in plaats van 'Tussen 13.00 en 14.00 U. gesloten' het woordje 'Open' vermeldde, kwam er twintig meter verderop langs de stoeprand een onopvallende blauwe Vauxhall tot stilstand. Er stapten twee heren uit, die terugliepen naar de winkeldeur.

Bellamy had een hoed opgezet om het verband op zijn hoofd te bedekken. Terwijl hij met lange passen op de winkel afstevende, volgde Hunter hem in zijn eigen tempo. Er rinkelde een belletje, toen de inspecteur de winkeldeur openduwde. De man achter de toonbank nam niet de moeite op te kijken. Hij concentreerde zich op de onderdelen van een weigerend fototoestel, dat hij op de toonbank uit elkaar had genomen. Bellamy herkende hem aan de hand van het signalement dat Corby van hem had gegeven. Hij had een zandkleurige snor, die netjes werd bijgehouden en in een strak boogje aan weerskanten van zijn mond omlaag liep. De door een gordijn aan het oog onttrokken deur achter hem gaf toegang tot de werkplaats achter de winkel.

Hunter was na Bellamy binnengestapt en had de deur al gesloten voor de fotohandelaar zich verwaardigde op te kijken.

'Meneer Naylor?' Bellamy sloeg een strenge toon aan, erop berekend om ontzag en respect af te dwingen. De eigenaar van de winkel stelde hem teleur.

'Ja?'

'Ik ben inspecteur Bellamy en dit is rechercheur Hunter. We komen van Scotland Yard.'

'Ik ben Arthur Naylor,' antwoordde Naylor, niet in 't minst onder de indruk. '*Ik* kom uit Shepperton. Wat kan ik voor de heren doen?'

'Ik heb begrepen dat een van uw klanten – een zekere meneer Leo Corby – hier gistermorgen in de winkel is geweest en een film bij u heeft afgehaald.'

'Ja, dat klopt helemaal.' Naylors blik kruiste die van rechercheur Hunter, die stilletjes het interieur van de winkel stond op te nemen. De rechercheur vertrok geen spier van zijn gezicht.

'Het ging om een zestien-millimeter-film, in kleur.'

'Ook dat klopt.'

'We zouden graag willen dat u ons alles over die film vertelt wat u weet, meneer Naylor.'

'Alles wat ik ervan weet?' Naylor schoof de onderdelen van het fototoestel opzij. 'Nou – dat lijkt me niet al te moeilijk. Ik weet er namelijk helemaal niets vanaf. Behalve dan dat meneer Corby die film hier heeft afgegeven om hem te laten ontwikkelen, en dat ik hem daarna heb opgestuurd.'

'Waarheen?' snauwde Bellamy. Hij leunde met zijn maag tegen de toonbank en torende hoog boven de winkelier uit.

'Naar het fotolaboratorium in Hemel Hempstead.'

'Wanneer?'

'Wanneer?' Naylors ergernis over de door Bellamy aangeslagen toon was duidelijk zichtbaar.

'Ja. Wanneer heeft u die film naar Hemel Hempstead gestuurd?'

Naylor aarzelde. Toen stak hij zijn hand uit naar een langwerpig notitieboek dat geopend op de plank achter hem lag. Hij sloeg een blad terug en liet zijn wijsvinger langs een kolom glijden, voor hij zich weer naar Bellamy omdraaide.

'Vandaag een week geleden is-ie de deur uitgegaan.'

'En wanneer heeft u hem teruggekregen?'

'Eergisteren.' Naylor staarde boos in Hunters richting, die hem de rug had toegekeerd en nu van binnenuit de etalage stond te bewonderen. 'Waar gaat dit allemaal over?'

'Hoeveel films heeft u die bewuste dag opgestuurd naar Hemel Hempstead?'

'Kleurenfilms, bedoelt u?'

'Ja.'

'De film van meneer Corby was de enige.'

'Dat weet u zeker?'

'Absoluut zeker. Er zijn de laatste tijd maar weinig films ter ontwikkeling aangeboden. Waarom weet ik ook niet. Te duur, denk ik zo.'

'Dus toen het laboratorium u een kleurenfilm terugstuurde, nam u zonder meer aan dat die van meneer Corby was?'

'Allicht.' Plotseling was Naylors onverschillige houding radicaal veranderd. Hij keek van Bellamy naar Hunter en toen weer naar Bellamy. 'Wàs het zijn film dan niet?'

'Ik ben bang van niet, nee. Het laboratorium moet u per vergissing de verkeerde film hebben toegestuurd.'

'U bedoelt – de film die ik aan meneer Corby heb gegeven was niet van hèm?'

'Daar komt het wel op neer, ja.'

Naylor scheen er absoluut geen touw aan te kunnen vàstknopen. Van zijn zelfverzekerde houding was niets meer te bespeuren.

'Nou, dat spijt me erg. Heel erg. Ik heb zo iets nog nooit meegemaakt. Aangezien ik maar één film had opgestuurd, nam ik vanzelfsprekend aan dat –' Hij richtte een wijsvinger op Bellamy. 'Wacht eens even! Heeft meneer Corby deze kwestie aan de *politie* gerapporteerd?'

'Inderdaad.'

'Goeie hemel!' riep Naylor uit, waarbij zijn stem wel een halve octaaf klom. 'Waarom heeft-ie dat gedaan? Waarom heeft-ie die film niet gewoon bij me teruggebracht en me gevraagd contact op te nemen met het laboratorium?'

'Daar had hij z'n redenen voor,' zei Bellamy, in z'n nopjes over het feit dat hij de man een 'toontje hoger' had laten zingen. Hij knikte naar de uit elkaar gehaalde camera op de toonbank. 'Ik zie dat u een probleem onder handen hebt, dus we zullen niet langer beslag leggen op uw tijd, meneer.'

Naylors mond stond nog open toen Bellamy zich omdraaide en naar de deur beende. De bel rinkelde weer. Hunter knikte Naylor geamuseerd toe en volgde de inspecteur naar buiten. Nadat de winkeldeur weer was dichtgegaan kwam Naylor achter zijn toonbank vandaan. Via de etalage bleef hij hen gadeslaan terwijl ze in de Vauxhall stapten en wegreden. Meteen daarna draaide hij de deur op slot en het bordje om. Terwijl hij terugwandelde naar de toonbank werd het gordijn voor de deuropening naar de werkplaats opzij geschoven. Er kwam een kleine, gezette man met een kalend hoofd tevoorschijn. Zijn ronde wangen plooiden zich tot een grijns.

'Heel goed gedaan, beste vriend,' zei hij. 'Tien met een griffel.'

'Wat gebeurt er als ze terugkomen?'

'Raak niet in paniek en gebruik je fantasie.' Corby stak een hand in de zak van zijn colbert en diepte er een pakje bankbiljetten van twintig pond uit op. 'Vijfhonderd hadden we gezegd, nietwaar?'

De telefooncel bevond zich op de hoek van een stil plein in de naaste omgeving van het metrostation South Kensington. Larry Voss had de hoorn van de haak genomen en stond nu een nummer te draaien. Hij had geen munten bij de hand om in de gleuf te stoppen, als er aan de andere kant van de lijn zou worden opgenomen. Zijn maat stond met zijn rug tegen de deur van de cel geleund om die open te houden. Phil Morgan was een kleinere, dikkere man met een gitzwarte baard. Hij droeg een kort leren jasje van het soort waaraan motorrijders de voorkeur geven, boven een verbleekte, vlekkerige spijkerbroek. Terwijl hij wachtte totdat Voss klaar zou zijn met zijn telefoontje staarde hij naar een Concorde, via de aanvliegroute op weg naar London Airport. Hoewel hij de slanke lijnen van het toestel bewonderde, waarvan de contouren zich scherp aftekenden tegen de middaghemel, bekroop hem niet het verlangen naar de stoel van de piloot. Morgan was, evenals Voss, helicopterpiloot.

Nadat Voss zeven kromme bewegingen met zijn wijsvinger had gemaakt staarde hij met nietsziende ogen naar het plafond van de cel, luisterend naar het signaal in de hoorn. Morgan smeet de peuk van zijn sigaret op de grond en trapte hem uit.

'Neemt-ie niet op, Larry?' Voss stak zijn duim op. 'Dus hij is er niet?'

'Nee.'

Morgan wrong zich de cel binnen. Voss gaf hem de hoorn over.

'Je weet wat je moet doen, hè?' vroeg Voss. 'Als er iemand opneemt hang je op. Maar zolang dat niet gebeurt laat je hem bellen.'

Morgan knikte en drukte de hoorn tegen zijn oor. 'Hoe lang denk je ervoor nodig te hebben?'

'Hooguit een minuut of vijf.'

'Denk aan wat ik je heb gezegd. Haal de boel niet overhoop –'

De deur van de cel viel dicht en Voss haastte zich weg door de straat. Morgan plantte zijn voeten tegen de zijwand van de telefooncel en leunde achterover. Hij viste met zijn vrije hand een pakje sigaretten uit zijn zak en schudde er eentje uit. Het toestel aan de andere kant van de lijn bleef overgaan.

Voss had drie minuten nodig om het gerenoveerde Victoriaanse herenhuis te bereiken. Hij had een enveloppe bij zich. Op de enveloppe stonden naam en adres van Sam Harvey uitgetikt, met in de linker bovenhoek de aanduiding: *Per expresse*. De enveloppe bevatte een onbeschreven vel papier.

Er was niemand te zien toen Voss de trap naar de eerste verdieping beklom. Voor de deur van Sams appartement wachtte hij. Het onophoudelijk rinkelen van de telefoon binnen was duidelijk te horen. Hij haalde twee sleutels uit zijn zak, stak de langste in het speciale insteekslot en draaide hem om. Daarna herhaalde hij deze procedure met de sleutel van het Yale-slot. De deur zwaaide dadelijk open toen hij er tegenaan duwde. Hij stapte naar binnen, sloot de deur en draaide beide sloten weer om.

Nu vouwde hij de gefingeerde brief op en stak deze in zijn zak, terwijl hij naar de zitkamer liep. Daar bleef hij een poosje staan luisteren en keek om zich heen. Mevr. Carr was die dag geweest. Alles in de flat stond nog op z'n plaats. Het meubilair was van betere kwaliteit dan je zou verwachten in het huis van een vrijgezel die bij de politie werkzaam was.

Voss liep naar het bureau en haalde een zakdoek uit zijn zak, om de hoorn van de haak te nemen. Het onderdeel van een seconde dat verstreek voordat in de cel het betaalsignaal begon te brommen gebruikte hij om te zeggen: 'Ik ben binnen.' Toen hoorde hij een klik en wist hij dat Morgan had opgehangen.

Jill Foster was gespannen en nerveus toen ze door de glazen deur van Brewster Bros naar buiten kwam. Ze haastte zich naar de Ford Granada Ghia die op het parkeerterreintje voor de showroom stond te wachten en holde meer dan ze liep. Bij het naderen van een oorverdovend gebrul richtte ze haar blik naar de hemel, samen met duizenden andere Londenaren. Ze herkende het onmiskenbare silhouet van de Concorde.

Ze trok het niet afgesloten portier open en liet zich achter het stuur glijden. Alsof de auto een soort heiligdom was waarin ze haar toevlucht had gezocht, boog ze het hoofd en sloeg haar beide handen voor haar gezicht. Langzamerhand vervaagde het door de muren van de bebouwing weerkaatste geluid van de Concorde. Ze dwong zichzelf rechtop te gaan zitten, zocht in haar handtasje en stak het contactsleuteltje in het stuurslot. De motor sloeg dadelijk aan, vrijwel zonder geluid te maken. Ze stond op het punt weg te rijden toen ze uit de richting Hammersmith Broadway een politiewagen de straat zag komen inrijden. De patrouillewagen remde af en draaide het voorterrein van Brewster Bros op. Vlug dook ze weg boven het telefoontoestel tussen de beide voorstoelen. Ze hoorde de deuren van de politiewagen dichtvallen en hoopte vurig dat ze haar niet hadden gezien. Het hart klopte haar in de keel. Toen ze eindelijk haar hoofd op durfde te tillen zag ze dat de politiewagen voor de showroom was geparkeerd, maar dat de inzittenden verdwenen waren.

Ze schakelde de eerste versnelling in en reed snel weg, de straat in, ternauwernood een afremmende bestelwagen ontwijkend.

Peter Brewster had in zijn kantoor een onderhoud met een van zijn monteurs en de in stofjas geklede chef werkplaats, toen de beide politiemannen binnenstapten. Schijnbaar achteloos gebaarde hij naar de zithoek die in de showroom was ingericht voor klanten die een auto kwamen huren en daar hun huurcontract konden invullen. De politiemannen begrepen de bedoeling maar bleven desondanks staan. Brewster maakte het gesprek met zijn werknemers rustig af en kwam toen op zijn dooie gemak naar zijn bezoekers slenteren.

De jongste en kleinste van de twee mannen was in burger. Zijn metgezel was een potige agent in uniform, met een platte uniformpet op.

'Het spijt me voor de vertraging, heren. Wat kan ik voor u doen?'

'Ik ben rechercheur Halford, meneer,' verklaarde de kleine man in burger. 'Ik heb begrepen dat u een zekere juffrouw Foster, Jill Foster, in dienst hebt?'

'Dat is zo, ja. Een van onze chauffeuses. Maar dat is allang bij u bekend. De politie is hier al eerder geweest.'

Halford negeerde die opmerking. 'We zouden juffrouw Foster heel graag even willen spreken, als dat mogelijk is.'

'Dat zal niet gaan, vrees ik. Nu niet, althans. Ze is een rit aan het maken.' 'Hoe laat zal ze terug zijn, meneer?'

'Moeilijk te zeggen.' Brewster raadpleegde de grote elektrische klok aan de muur. 'Ik zou zo zeggen – om een uur of zes. Misschien zelfs nog wat later. Ze is op dit moment in Brighton. Maar misschien kan ik iets voor u doen?'

'Nee, dat geloof ik niet. Bedankt voor het aanbod, meneer.' Peinzend staarde Halford naar het onschuldig-bereidwillige gezicht van Brewster. 'O ja, misschien zoudt u ons kunnen zeggen of het adres van juffrouw Foster klopt.' Hij haalde zijn notitieboekje voor de dag en begon te bladeren. 'Ah, hier staat het, Ladbroke Grove achtentwintig A, West tien?'

'Volgens mij is dat juist. Ik zal het even voor u nagaan. Ik meen dat ze een maand of twee terug verhuisd is –' Brewster slenterde terug naar zijn bureau. Hij probeerde iedere la ervan voor hij de juiste had gevonden; en zelfs toen scheen hij de grootste moeite te hebben zijn adresboekje te vinden. 'Aha, daar hebben we het al! Ja hoor, het klopt helemaal. Ladbroke Grove achtentwintig A.'

'Ik dank u, meneer,' zei Halford met nadrukkelijk sarcasme in zijn stem.

Bij Hammersmith Broadway sloeg Jill linksaf. Het was erg druk op de weg en ze moest langzaam blijven rijden totdat ze Olympia was gepasseerd en Kensington High Street kon inrijden. Ze was een voortreffelijk en doortastend automobiliste. Ze wist met de grote Ford langzaam rijdende bussen en vrachtwagens in te halen alsof ze een Mini bestuurde. Ze kende de sluipwegen als een ervaren taxichauffeur en zocht via een labyrint van zijstraten haar weg naar Lillee Road. Terwijl ze daar voor het stoplicht moest wachten begon het telefoontoestel naast haar te rinkelen.

Zoals ze had verwacht bleek het Peter Brewster te zijn.

'Alles in orde?'

'Ja…' zei ze aarzelend.

'Dat was op het nippertje.'

'Ik weet 't. Ik heb ze gezien.'

'Maak je maar niet bezorgd,' zei hij, zo opgewekt dat het haar razend maakte.

'Ik maak me wèl bezorgd, Peter. Wanhopig bezorgd zelfs.'

'Ik heb 't je toch gezegd! Ik maak alles wel in orde. Je hebt werkelijk geen enkele reden om je zorgen te maken.'

Het stoplicht voor haar was op groen gesprongen.

'Meen je dat, Peter?'

'Ja. Eerlijk. Ik zie je vanavond wel. Acht uur.'

'Ik zal er zijn.'

'Het zal toch niet zo gaan als de vorige keer, hoop ik?'

'Nee,' antwoordde ze. Ze had weer wat kleur op haar wangen gekregen en glimlachte nu. 'Het zal niet zo gaan als de vorige keer.'

'Je hebt het adres?'

'Ja. Dat heb je me vaak genoeg verteld.'

'Nou – pas goed op jezelf. En doe geen stomme dingen.'

De auto die voor haar stond was al in beweging gekomen

en ze hoorde de taxi achter haar toeteren. Vlug legde ze de hoorn op de haak. Met een ruk sprong de Granada naar voren. In weerwil van Brewsters geruststellingen was ze nog steeds nerveus genoeg om zich door een ongeduldige taxichauffeur te laten opjagen.

Hij reed nog altijd achter haar toen ze op een halve kilometer afstand van het metrostation South Kensington opnieuw voor een rood stoplicht moest afremmen. Hij kwam naast haar Ford tot stilstand. Ze verwaardigde zich niet zijn kant op te kijken, hoewel ze voelde dat er iets vreemds gebeurde. Zijn passagier had opeens besloten uit te stappen en stond nu tussen de taxi en de Ford, terwijl hij de taxichauffeur enkele bankbiljetten toestak. Jill staarde strak naar het stoplicht en draaide haar hoofd met een ruk om, toen het portier van haar auto plotseling werd geopend.

Tot haar stomme verbazing kwam er een man naast haar zitten. Ze herkende hem als de lange, knap-ogende man met wie ze kortgeleden in dat Italiaanse restaurant had gesproken.

'Hè zeg, wat gaan we nou krijgen?' riep ze uit, boos en angstig tegelijk.

'Dit moet m'n geluksdag zijn!' zei Sam grijnzend. Met een smak trok hij het portier dicht. 'U bent juist degene die ik dolgraag wilde zien.'

'Maak dat je uit deze auto komt!'

'U kunt beter doorrijden. U houdt het verkeer op.'

'Je hebt gehoord wat ik zei!' Jills gezicht was spierwit. 'M'n auto uit!'

'En jij hebt gehoord wat *ik* zei,' antwoordde Sam onverstoorbaar. 'Doorrijden!'

'Als je niet maakt dat je wegkomt –' Jill boog zich voorover alsof ze van plan was het contactsleuteltje om te draaien en uit het slot te trekken. Enkele ongeduldige autobestuurders achter de Ford Granada drukten op hun claxons.

'Je wilt toch geen brokken maken, wel?' Plotseling had Sam de barse toon van de politieman aangeslagen. 'Nou, doe wat ik je zeg. Doorrijden! Ik zal je wel zeggen waarheen.'

Ze staarde hem woedend aan, maar toen ze zag dat zijn

glimlach verdwenen was veranderde ze van gedachten. Haar hand sloot zich om de versnellingspook.

'Zo. En misschien wil je me nu zeggen wat er allemaal aan de hand is en me laten gaan. Ik heb om vijf uur een afspraak.'

Sam sloot de deur van zijn flat en volgde haar naar binnen. Ze speelde nog altijd de vermoorde onschuld, maar hij wist dat ze dat alleen deed om haar zenuwachtigheid te camoufleren.

'Het draait allemaal om jou, juffrouw Foster.' Sam trok zijn jas uit en wierp het kledingstuk over de rugleuning van een stoel. Ze stond uitdagend tegenover hem, met haar rug naar de erker. 'Nu moet je eens goed naar me luisteren. Eigenlijk verdien je 't niet, maar ik zal je de keus laten.'

'Hoe bedoel je? Welke keus?'

'We kunnen ofwel naar Scotland Yard gaan, waar je ondervraagd zult worden door een keiharde voormalige collega van mij, inspecteur Bellamy – òf je vertelt *mij* het hele verhaal. Je krijgt precies twintig seconden van me om een besluit te nemen.'

De lange gordijnen achter Jill bolden iets op, alsof ze door de tocht in beweging werden gebracht. Sam moest echter recht tegen de zon in kijken en werd in elk geval te zeer door Jill in beslag genomen om op te merken dat de ramen potdicht waren.

'Welk verhaal? Ik begrijp niet waarover je 't hebt!'

'Volgens mij weet je dat exact. Nou, wat gaat het worden?'

'Wat wilde je eigenlijk weten?'

'Ik wil haarfijn weten wat er allemaal is gebeurd nadat je mijn ouders bij het vliegveld had afgehaald.'

'Ik hèb hen niet afgehaald. Ik heb hen *naar* het vliegveld gebracht. Dat weet je; je bent er zelf bij geweest.'

'Dat was 's ochtends. Om een uur of elf. Een paar uur daarna – hoe laat precies weet ik niet, maar het was in het begin van de middag – ben je teruggekomen om hen weer op te halen.'

Ze had haar adem ingehouden. Nu liet ze de lucht in haar longen plotseling ontsnappen. 'Ik begrijp niet waarover je 't hebt!'

'Volgens mij begrijp je dat heel goed. Waar heb je mijn ouders heen gebracht?'

'Ik zeg je dat ik hen nergens heen heb gebracht! Ik had andere opdrachten uit te voeren. Ik moest een paar mensen ophalen bij het Dorchester Hotel –'

'Juffrouw Foster,' viel Sam haar rustig in de rede. 'Je spreekt de waarheid niet. Je liegt alsof het gedr –'

'Hoe durf je –'

'Ik heb *gezien* dat je hen die middag kwam ophalen.'

Haar mond viel open. Onbewust week ze een pas achteruit en botste tegen het bureau.

'Je droeg een lichtblauw jasje met bijpassende sjaal. De auto waarin je reed had het kenteken HNO negen zes zeven –'

'Hoe kun jij me ooit hebben gezien? Jij zat allang weer achter je –'

Ze zweeg en beet op haar onderlip. Hij wist nu dat ze op het punt stond toe te geven.

'Het is niet letterlijk zo dat ik je in levende lijve heb gezien. Maar wel heb ik een film gezien. Een kleurenfilm, die kennelijk door een amateur was opgenomen. Op die film zag ik mijn ouders Terminal Drie uitkomen en de rijweg oversteken. Op dat moment kwam er een Jaguar aanrijden en daar stapte jij uit. Mijn vader legde zijn bagage in de kofferruimte en stapte daarna achterin, naast mijn moeder. Je reed weg in de richting van de tunnel waar je doorheen moet om de luchthaven te verlaten.'

Jill schudde heftig haar hoofd. Alle kracht was uit haar benen weggevloeid en ze moest steun zoeken tegen de rand van het bureau.

'Je spreekt de waarheid?' vroeg ze, bijna onverstaanbaar.

'Ja.'

'Maar – maar wie heeft dan die film opgenomen?'

'Ik zou het niet kunnen zeggen.'

'Maar – je hèbt hem gezien?'

'Ja.'

'Waar heb je hem dan gezien?' vroeg ze wanhopig. 'Waar heb jij die film gezien?'

'Op Scotland Yard. Hij werd afgegeven bij een collega van mij, hoofdinspecteur Sinclair.'

Met wijd opengesperde ogen staarde ze hem aan. Toen, opeens, liet ze het hoofd hangen, wendde zich af en sloeg haar handen voor haar gezicht.

'O, mijn God!'

Sam verroerde zich niet. Hij had wel meer vrouwen een dergelijk staaltje van toneelspel zien weggeven.

'Nu heb ik jouw vragen beantwoord. Wil je nu alsjeblieft de mijne beantwoorden? Waar heb je mijn vader en moeder heen gebracht?'

'Dat – dat kan ik je niet vertellen.' Ze schudde het hoofd, zonder haar handen weg te nemen van haar gezicht. 'Ik màg het je niet vertellen.'

'Je moet 't me vertellen. Geloof me – als je dat niet doet werk je jezelf lelijk in de nesten.'

'Ik zit al in de nesten,' zei ze bijna fluisterend.

'Waar heb je hen heen gebracht?' vroeg Sam onverbiddelijk en met een harde klank in zijn stem.

'Naar een huis buiten Londen.'

'Waar – buiten Londen?'

'Het spijt me – dat herinner ik me niet meer.'

'*Waarom* heb je hen daarheen gebracht?'

'Dat was me gezegd. Ik had – eh – instructies gekregen.'

'Van wie?'

'Ik was opgebeld door een man. Hij zei me dat ik hen naar dat bewuste huis moest brengen, omdat daar de bestelwagen was.'

'Die bestelwagen met de naam Marius of Rye erop?'

'Ja.'

'Wie was die man?'

'Het spijt me. Dat kan ik je niet vertellen. Ik hèb al teveel gezegd.'

Ze richtte zich op en keerde hem haar rug toe. Zonder zich ervan bewust te zijn wreef Sam over het gladde deukje aan de binnenkant van zijn middelvinger. Hij was van nature geen bullebak en begon langzamerhand te geloven dat haar angst reëel was.'

'Je zei zojuist dat je je in de nesten had gewerkt.'

'Ik heb moeilijkheden,' zei ze heel zacht. 'Ernstige moei-lijkheden.'

'Luister dan naar me.' Hij kwam dichter bij haar staan en pakte haar arm. 'Als je bereid bent mij te vertellen wie die man is geweest en waar je mijn ouders precies hebt heen ge-bracht, zal ik alles doen wat in mijn vermogen ligt om je te helpen.'

Ze draaide zich naar hem om.

'Ik geloof niet dat iemand mij zou kunnen helpen. Nu niet meer. Het is er nu te laat voor.'

'Daar zou ik maar niet zo zeker van zijn, als ik jou was.' Ze scheen gerustgesteld te worden door de andere toon die hij had aangeslagen, en door zijn zachtere manier van doen. 'Luister – volgens mij kunnen we momenteel het beste eerst even iets drinken, samen. Daarna praten we verder. Wat vind je daarvan?'

Ze knikte en liet zich door hem naar de zitbank leiden.

'Ga hier maar zitten, Jill. Dan zal ik een paar drankjes inschenken. Hou je van whisky met ijs?'

'Liever geen ijs. Heb je misschien sodawater?'

'Ik geloof 't wel, ja.'

Ze knikte opnieuw en ging zitten. Terwijl hij naar de keu-ken liep strekte ze haar hand uit naar haar tasje, alweer den-ken aan haar uiterlijk.

Hoofdschuddend verdween Sam in de keuken. Hij zou nooit iets begrijpen van de eigenaardigheden van een vrouw. Zoëven nog had het geleken alsof ze een aanval van hysterie ging krijgen en nu zat ze zich al zorgen te maken over haar make-up en vroeg ze om sodawater in plaats van ijs bij haar whisky.

Hij trok de deur van de koelkast open. Geen sodawater. Hij opende de provisiekast en hurkte neer om op de onder-ste plank te kunnen kijken. Zoals gewoonlijk viel de deur dicht en raakte hem flink tegen zijn rug, zodat het nog don-kerder in de ruimte werd dan eerst.

Hij vloekte hartgrondig, toen er vanuit de zitkamer een gil van angst tot hem doordrong en Jill iets hoorde roepen als: 'Nee, Voss, nee! Alsjeblieft – niet doen!'

Toen werd het stil.

Sam richtte zich op. Hij knalde met zijn hoofd tegen het voorraadrek aan de binnenkant van de deur. Een lawine van aardappelen, uien en één komkommer regende op hem neer. Hij smeet de eigenzinnige deur open, rondde slippend de keukentafel en stormde de zitkamer binnen.

Uit de gang kwam het geluid van een deur die dichtgesmeten werd. Hij begon aan de achtervolging, maar toen hij het eind van de zitbank bereikte struikelde hij bijna over Jill Foster. Ze lag op haar zij. Uit een van haar slapen stroomde bloed en uit haar rug zag hij het heft van een mes steken.

Het enige tijdschrift dat in de wachtkamer van het ziekenhuis nog enigszins de moeite waard was ging over volbloed paarden en antieke auto's. Sam had het al helemaal doorgebladerd toen hij wachtte op de uitslag van het medisch onderzoek dat Bellamy had moeten ondergaan. Nu had hij het opnieuw in handen. Deze keer nam hij de advertentiekolom voor gebruikte auto's door, om te zien hoeveel zijn Porsche 911 E nog waard was. Na een uur wierp hij het blad op tafel. Somber staarde hij naar een bordje met het opschrift: ALS U MET ALLE GEWELD WILT ROKEN, DOE DAT DAN IN DE GROTE HAL.

Een verpleegster die hij naast de brancard had zien lopen waarmee Jill naar de operatiezaal was vervoerd kwam bedrijvig de gang door. Door snel in actie te komen zag hij kans haar de pas af te snijden voor ze de open toegang van de wachtruimte voorbij was.

'Zuster? Kunt u me alstublieft zeggen hoe 't ermee voorstaat?'

Ze zette de gedachte aan de patiënt in Afdeling 4 tijdelijk van zich af en zorgde dat haar stem beheerst klonk, toen ze antwoordde: 'Hebt u de dokter nog niet gesproken?'

'Nee. Dat heb ik niet.'

'Dus u hebt dr. Majdoeli niet gezien?'

'Dat zeg ik u toch? Ik heb nog niemand gezien, en dat terwijl ik hier al langer dan een uur heb gezeten.'

Ze wierp een blik over haar schouder. Een jeugdige Indiase dokter in witte jas kwam de gang door. De dichte schaduwen rond zijn ogen leken in zijn donkere gezicht koolzwart.

De verpleegster liep hem tegemoet en wisselde op gedempte toon enkele woorden met hem. De blik van de dokter richtte zich op Sam. Hij knikte en wandelde naar hem toe.

'Ik ben dokter Majdoeli. U wilde mij spreken?'

Zijn Engels was uitstekend, met slechts een spoor van een accent.

'Ja. Ik zou graag willen weten hoe het is met juffrouw Foster.'

De verpleegster, die zich kennelijk zorgen maakte over het een of ander, kwam tussenbeide en zei: 'De hoofdzuster van Afdeling Vier zou u graag zo spoedig mogelijk willen spreken, dokter.'

'Dat geloof ik graag, zuster, en ik zal zo vlug mogelijk naar haar toe gaan, maar ik heb nog geen manier kunnen ontdekken om op twee plaatsen gelijk te zijn. Nòg niet. Maar geloof me gerust – ik werk er hard aan.'

De verpleegster klemde haar lippen opeen en haastte zich verder. Dr. Majdoeli keek Sam afwachtend aan.

'Hoe gaat het met juffrouw Foster?' vroeg hij opnieuw.

'U bent familie van haar, meneer – eh –'

'Nee. Ik ben inspecteur Harvey, van Scotland Yard.'

'O, neemt u mij niet kwalijk! Ik was me er niet van bewust dat u van de politie bent. De zuster had me er niets over gezegd. Ze zal het wel halen, inspecteur. Er zijn heel weinig inwendige bloedingen opgetreden en we hebben het weefsel en de wond zelf met een stuk of zes hechtingen kunnen sluiten. Ze zal er beslist weer bovenop komen, daar ben ik van overtuigd.'

'Zou ik haar even kunnen spreken?'

'Liever niet. Ze komt op dit moment nog maar net bij uit de narcose. Morgen misschien, maar vanavond nog niet, als u 't niet erg vindt. U zoudt overigens toch niet veel samenhangends uit haar kunnen krijgen.'

'Heeft u morgenochtend zelf dienst, dokter?'

'Of ik morgenochtend –' Opeens was er weinig over van dr. Majdoeli's professionele houding. Er werd een stel blinkend witte tanden zichtbaar, toen zijn donkere gezicht door een lach werd verhelderd. 'U maakt een grapje! Ik heb *altijd* dienst!' Met een opgewekt gebaar wuifde hij Sam toe en draaide zich om naar Afdeling 4. 'Tot morgen dan maar.'

Omstreeks het moment waarop Sam zijn flat weer bereikte was de duisternis al ingevallen. Nadat hij achter de beide ziekenbroeders aan zijn flat had verlaten had hij de deur zorgvuldig afgesloten. Nu was hij er inmiddels van overtuigd geraakt dat iemand over een stel sleutels van zijn flat moest beschikken. Er gebeurden de laatste tijd wat àl te vaak ongelukken in zijn huis. Binnen een tijdsbestek van drie dagen had hij al twee keer 999 moeten draaien om een ambulance te laten komen.

Nadat hij naar binnen was gegaan en de lichten had aangeknipt, was hij er vrijwel van overtuigd dat er na zijn overhaaste vertrek geen nieuwe ongewenste bezoekers in zijn flat waren geweest. Hij trok zijn jas uit, wierp hem over de rugleuning van een stoel en wandelde naar de keuken. De fles whisky stond nog naast de gootsteen, met de dop ernaast. Hij goot een flinke scheut in een van de twee gereedstaande glazen, en deed er wat water uit de kraan bij. Toen hij met een diepe denkrimpel in zijn voorhoofd terugliep naar de zitkamer, zag hij de lantaarns van het plein door het raam naar binnen schijnen, niet gehinderd door het gordijn. Hij liep naar de erker om het gordijn dicht te trekken. Onderweg naar het raam ontdekte hij een vlek op het vloerkleed, vlakbij de lambrizering opzij van het raam. Hij bukte zich en betastte de vlek met zijn wijsvinger. Vochtige aarde, afkomstig van iemands schoen. Een eindje verder op het plein was de bestrating door enkele werklieden opengebroken, voor het repareren van een lekke gasleiding.

Sam richtte zich op en knipte de staande schemerlamp naast de zitbank aan. Het licht bescheen de kleine bloedvlek op het kleed waar Jill half op haar rechter zij had gelegen. Nu pas merkte hij iets op dat hij, in zijn haast om haar leven te redden, over het hoofd moest hebben gezien: haar tasje, half verborgen onder de bank.

Hij raapte het op, maakte de lange salontafel vrij van boeken en tijdschriften en begon de inhoud van het tasje uit te stallen. Die bestond uit de gebruikelijke bestanddelen – een portemonnee met bankbiljetten, kleingeld en een bankpasje, een kam in leren foudraal, een sleutelbos, een pakje sigaretten, een gouden aansteker, een pen en een boekje lucifers. De lippenstift had ze uit haar handen laten vallen toen ze was opgestaan om haar aanvaller af te weren.

Hij begon de artikelen weer in het tasje te stoppen, maar bekeek ze stuk voor stuk grondig. Het boekje lucifers bewaarde hij voor het laatst. Waar had ze nog lucifers voor nodig als ze over een gouden aansteker beschikte? Kennelijk waren de lucifers een relatiegeschenk van de zaak waarvan de naam op de voorflap prijkte: 'THE PRINCE HAL – uw gezellige buurtcafé.' Hij maakte het boekje open. Alle lucifers waren gebruikt. De lege binnenkant van het boekje was gebruikt om er iets op te noteren.

Dhr. Hogarth?
01.876 0295
748 2269
935 8692

Sam opende het pakje sigaretten dat hij al had opgeraapt van de salontafel. Zonder zijn blik af te wenden van de naam en de drie telefoonnummers stak hij met behulp van Jills aansteker een sigaret op. Hij nam plaats op de zitbank en leunde achterover.

Omstreeks het moment waarop hij de sigaret had opgerookt had hij een besluit genomen. Hij drukte de peuk uit in de asbak, liep naar zijn bureau en trok het telefoontoestel naar zich toe. Hij behoefde het boekje lucifers niet opnieuw te raadplegen alvorens het eerste nummer te draaien.

Sam had op school veel amateurtoneel gedaan en was nogal trots op zijn bekwaamheid in het nabootsen van een Cockney-accent. Zoals iedere goede acteur had hij de houding en gelaatsuitdrukking van de figuur die hij wilde spelen aangenomen voordat hij gehoor kreeg.

'Ja?' snauwde een ongeduldige stem.

'Wellek nummer hep meneer?' Sam vertrouwde niet alleen op zijn Cockney-accent, maar liet zijn stem ook zwaarder en ruwer klinken.

'Welk nummer moet u hebben?'

'Hep meneer acht zeven zes nul twee negen vijf?'

'Met wie spreek ik?'

'Met de telefooncentrale, meneer. Ons is gemeld dat uw aansluiting haperde –'

'Er mankeert niets aan deze aansluiting. U hebt zelf ook gehoor gekregen, waar of niet?'

'Dan mot 'r een vergissing wezen, meneer. Mag ik effe de naam van de abonnee verneme?'

'U spreekt met de abonnee,' antwoordde de mannen-stem. 'Walter Randell.'

Meteen daarop smeet Walter Randell de hoorn op de haak.

Het tweede telefoonnummer kwam Sam vagelijk bekend voor.

Ditmaal duurde het langer voordat hij gehoor kreeg.

'Zeven vier acht twee twee zes negen?'

De stem klonk ongeduldig en afgebeten. Hij klonk Sam onheilspellend bekend in de oren.

'Met wie spreek ik, meneer?'

'Met Bellamy. Met wie heb ik het genoegen?'

Haastig veranderde Sam zijn houding en gelaatsuitdruk-king.

'Ah – met inspecteur Bellamy?'

'Ben jij dat, Harvey? Je stem klonk nogal eigenaardig.'

Bellamy was buiten adem. Sam wist dat hij een 'blijf-ge-zond-en-fit' maniak was. Waarschijnlijk was hij net wezen trimmen of had hij zich op zijn home-trainer uit de naad ge-trapt.

'Och, ik heb een beetje kou gevat,' zei Sam nasaal.

'Wat is er van je dienst? Laat me je terugbellen, als het niet al te dringend is.'

'Ik – eh – vroeg me alleen af hoe je was gevaren, in die fotozaak.'

'Volgens Naylor moet het laboratorium een abuis hebben gemaakt, maar ik vertrouw die Naylor niet zo erg – waarom weet ik zelf nog niet. Hoor eens – vind je 't erg? Mag ik je hierover een andere keer terugbellen?'

'Laat maar. Dit was alles wat ik wilde weten.'

'Ik heb Sinclair een memo gestuurd. Hij weet van de hoed en de rand.'

Sam voelde zich een beetje voor aap staan toen hij de verbinding verbrak. Hij stak zijn hand uit naar het luciferboekje en herhaalde het laatste nummer een aantal keren voor zichzelf. Hij wist absoluut zeker dat hij het nog nooit had gedraaid.

Opnieuw kreeg hij een man aan de lijn, maar deze keer klonk de stem ruw en onbeschaafd.

'Met de telefooncentrale, meneer.' Sam voerde zijn act weer op. 'We hebben begrepen dat uw telefoon niet so best werkt, meneer. Ken u me effe vertelle wat 'r precies an mankeert?'

'D'r mankeert helemaal niks aan, vrind, voor zo ver ik weet.'

'Maar d'r is over geklaagd!' wees Sam hem terecht.

'Niet door mij, dat ken ik je ma vertellen!'

'Uw nummer is toch wel negen drie vijf acht zes negen twee?' vroeg Sam op de hardnekkige toon van een kleine bureaucraat.

'Dat klopt.'

'U bent de abonnee?'

'Ik betaal de rekening, als je dat soms bedoelt.'

'En uw adres is King Edward Mansion achtentwintig? Meneer White?'

'Nou zit je toch op de verkeerde golflengte, makker. Je spreekt nou met Galloway Street drieëndertig. De naam is Voss.'

'O, dat spijt me, meneer. Ik zie dat ik de verkeerde lijst voor me hep. Dat mot een vergissing wezen. Neem me niet kwalijk dat ik u hep lastiggevalle.'

'Geeft niet, makker. Je belt maar gerust –'

Sam legde de hoorn op de haak. Hij liep naar zijn slaapkamer, trok zijn colbert uit en een gemakkelijk zittende anorak aan. Hij liet zijn portefeuille in de binnenzak van de jckker glijden en wandelde naar de keuken. De vaatwasmachine stond naast de gootsteen. Als het deurtje openging zag je echter niet de gebruikelijke vaatrekken, maar een tweede deur. Sam had twee sleutels nodig voor het openen van deze verborgen safe, die aan de aandacht van degenen die zijn flat hadden doorzocht was ontsnapt. Hij stak zijn hand naar binnen en haalde er een dienstrevolver uit. Nadat hij had gecontroleerd wat hij al wist, namelijk, of er zes kogels in de kamer zaten, sloot hij de safe weer af, richtte zich op en liet het wapen in de zak van zijn anorak glijden.

Galloway Street bevond zich in de Londense wijk Pimlico. Toen hij de straat inreed merkte Sam de telefooncel op de hoek op. De straatverlichting was zwak. Hij zag geen enkele auto rijden en het hele verkeer bestond uit enkele voetgangers. Langzaam reed hij tussen de aan weerskanten geparkeerde auto's door en hield de huisnummers in het oog. Pas toen hij het nummer 57 op een tuinhekje zag staan merkte hij dat hij nummer 33 al voorbij was gereden. Sam reed de Porsche de eerste de beste open parkeerplaats in, legde het stratenplan van Londen weer in het handschoenenvak en sloot de wagen zorgvuldig af, voordat hij over de stoep begon terug te lopen.

Nummer 33 bleek een tamelijk vervallen pand te zijn, dat een jaar of tien terug gesplitst was in een aantal appartementen. Naar aanleiding van de toenemende criminaliteit was er nog niet zo lang geleden een intercominstallatie aangelegd, waarvan de luidspreker-microfoon naast de bellen was aangebracht. Sam moest zijn zaklantaarn gebruiken om de naambordjes te kunnen lezen. Appartement vier werd door een zekere L. Voss bewoond.

Sam drukte de belknop naast het naambordje in.

'Wie is daar?'

Voss' stem klonk nu nog ruwer dan door de telefoon, verwrongen als hij werd door de luidspreker.

'Meneer Voss?'

'Ja.'

'De telefoondienst, meneer. Het spijt ons dat we u opnieuw moeten lastig vallen, maar we krijgen voortdurend klachten van mensen die u niet kunnen bereiken. Ik zou graag uw installatie even willen controleren. Het is binnen een paar minuten gepiept. Als het u ongelegen komt kunnen we natuurlijk ook morgen opnieuw langs komen.'

'Kom maar boven,' zei Voss. 'Het is op de tweede verdieping.'

Sam hoorde een zoemer overgaan. Het deurslot klikte en de deur sprong enkele centimeters open. Sam duwde hem verder open en wandelde naar binnen. Er was geen lift. Iemand had zijn fiets aan de voet van de trap geparkeerd en het rijwiel met kettingsloten aan de spijlen van de ijzeren leuning verankerd. Sam begon naar de tweede verdieping te klimmen. Er was slechts één deur te zien. Het cijfer 4 was er enigszins hellend op aangebracht. De deur stond op een kier. Hij hield zijn rechter hand in de zak van zijn anorak en klopte met zijn linker op de deur.

'Binnen!' riep Voss hem vanuit het appartement toe.

Met zijn voet stootte Sam de deur open en er werd een smalle gang zichtbaar. Hij stapte naar binnen en gebruikte zijn voet weer om de deur achter zich dicht te doen. De deur aan het andere eind van de gang stond open. Hij zag enkele stoelen en een tafel. Langzaam liep hij naar de ingang van de kamer. Op de drempel bleef hij staan. Larry Voss zat in een leunstoel, recht tegenover de kamerdeur, op slechts enkele passen er vandaan. Hij had een automatisch pistool in zijn hand en een verwelkomende grijns op zijn gezicht. De loop van het automatische pistool wees naar Sams maag.

'Kom binnen, Harvey. Ik verwachtte je.'

'Ja,' zei Sam, met een blik op het wapen. 'Zoiets vermoedde ik al.'

'Haal je handen uit je zakken, zodat ik ze tenminste kan zien.'

Sam deed wat hem gezegd werd.

De meubelen in de kamer waren op een onhandige manier gerangschikt. Aan de muren hingen een paar vergeelde prenten, en boven de schoorsteen was een tamelijk fraaie Victoriaanse spiegel aangebracht. Op de grond naast de leunstoel van Voss stond een kleine koffer.

'Ga zitten. Ik wil met je praten.'

Sam bleef staan waar hij stond. 'Ik wil zelf ook met je praten, meneer Voss. Daarom ben ik hier. Tenzij ik me ten zeerste vergis ben jij degene die mijn flat meer dan eens heeft doorzocht. Waarom?'

'Kun je dat niet raden?'

'Ik kan alleen maar veronderstellen dat je naar iets zocht.

Alleen kan ik me met geen mogelijkheid voorstellen wàt.'

'Nou, ik moet je bekennen dat ik dat moeilijk kan geloven. Maar aangezien ik dat waarnaar ik zocht niet heb kunnen vinden zal ik je 't voordeel van de twijfel gunnen. Maar goed, daar zullen we het later nog wel over hebben. Op dit moment wil ik alleen weten hoe het met Jill Foster is. Ik wens te weten wat er gebeurde nadat jij haar had opgepikt.'

'Jij weet verdomd goed wat er is gebeurd, jij schoft!' zei Sam onverstoorbaar. 'We zijn naar mijn flat gegaan. Waar jij je had verstopt. Jij hebt dat arme kind een mes in de rug gestoken.'

'Wat was er vòor die tijd gebeurd – in de auto?'

'Gebeurd? Er was niets gebeurd!'

Dreigend stak Voss het pistool naar voren.

'Waar hebben jullie over gepraat? Wat heeft ze je verteld?'

'Tja, als je het dan met alle geweld wilt weten,' zei Sam achteloos, 'zal ik 't je vertellen. We hadden het voornamelijk over Brewster Bros, de firma waarvoor ze werkte. O ja, en nu ik erover nadenk – ik meen me te herinneren dat ze een schuine toespeling maakte op iemand die Bellamy heette. Nu is de enige Bellamy die ik kon bedenken een inspecteur van Scotland Yard. ''Memo''-Bellamy zo noemen zijn collega's hem. Alleen betwijfel ik sterk of ze hèm bedoelde.'

'Ik geloof geen woord van alles wat je hebt gezegd!'

Sam haalde zijn schouders op. 'Meneer Voss, het laat me Siberisch koud of je me wel of niet gelooft.'

Voss stond op. Als hij soms probeerde er gevaarlijk uit te zien slaagde hij daar zonder meer in.

'Ik ben benieuwd hoe lang jij zo siberisch koud kunt blijven, Harvey. Steek je handjes maar op en draai je netjes om.'

Sam hoopte dat Voss op het punt stond hem de kans te bieden die hij nodig had, maar hij wilde niet de indruk wekken dat hij het bevel graag opvolgde. Het wapen bleef onophoudelijk op zijn maag gericht. Als hij een poging deed zijn eigen revolver te pakken kon hem dat noodlottig worden.

'Je denkt toch niet dat ik zo stom zal zijn jou mijn rug toe te keren?'

'Het zou nòg stommer zijn als je dat niet deed. Denk niet dat ik niet bereid ben dit ding hier te gebruiken. Nou vooruit, steek je handen op en draai je om!'

Sam staarde in de dicht opeen staande oogjes van Voss, bracht zijn handen omhoog en begon zich langzaam om te draaien. Haastig deed Voss achter zijn rug een stap naar voren. Sam voelde de loop van het automatische pistool in zijn rug porren. Hij voelde de linker hand van Voss naar het wapen in de zak van zijn jekker tasten. Er werd in zijn lichaam een flinke hoeveelheid adrenaline in zijn bloedstroom gepompt en zijn spieren spanden zich.

Plotseling draaide hij zich razendsnel om naar rechts en liet zijn rechter arm omlaag zwiepen. Terwijl zijn lichaam het wapen een zo smal mogelijk doelwit bood trof de rug van zijn open hand de pols van Voss. Diens wijsvinger spande zich een fractie van een seconde te laat om de trekker. In deze kleine ruimte was de explosie van het schot oorverdovend. De kogel boorde zich dwars door Sams jekker en begroef zich in de muur. Het wapen viel Voss uit de hand. Sam, die hem nu in de ogen keek, schopte het buiten zijn bereik, maar werd zelf verrast door de snelle reflexen van de man. Voss richtte zich razendsnel op en begroef zijn vuist diep in Sams lendenen. De pijn was folterend. Onwillekeurig vouwde Sam zich dubbel terwijl hij een rood waas voor zijn ogen zag dat snel donkerder werd.

Voss hield zijn rechter vuist met een van pijn vertrokken gezicht vast. Met een wilde blik in zijn ogen staarde hij naar de dubbelgevouwen inspecteur. Het gaatje in de muur ontging hem. Toen raakte hij in paniek. Hals-over-kop rende hij naar de gang en de flat uit. Half versuft hoorde Sam zijn voetstappen de trap af daveren, met drie treden tegelijk.

Zijn gezichtsvermogen keerde snel terug. De pijn verspreidde zich vanuit zijn kruis in golven door zijn onderlichaam. Nog half dubbelgevouwen wankelde hij naar de voordeur. Beneden, op de begane grond, hoorde hij de buitendeur vanzelf sluiten, dichtgedrukt door de dranger. Sam sloot de deur van de flat en legde het palletje om dat het Yale-slot beveiligde.

Terug in de woonkamer pakte hij het glas waaruit Voss

had zitten drinken. Het was whisky – en vrijwel onversneden ook. Hij goot de drank in één teug naar binnen en begon zich wat beter te voelen.

Alvorens de kamer te doorzoeken besloot hij de koffer te controleren. Hij zat op slot. Van sleuteltjes geen spoor. Sam raapte het automatische pistool van Voss op. Iedereen in het gebouw moest het schot hebben gehoord. Ze zouden het wel uit hun hoofd laten om te gaan informeren wat er aan de hand was, tenzij ze stapelgek waren. Hoogstwaarschijnlijk zouden ze de politie al hebben gewaarschuwd. Binnen enkele minuten zou er een patrouillewagen arriveren.

Hij beschermde zijn gezicht met zijn arm en gebruikte het automatische wapen als loper. Twee schoten waren voldoende voor het elimineren van de koffersloten. Hij schudde de inhoud uit op de vloer en stelde haastig een onderzoek in. De koffer scheen uitsluitend kleren en persoonlijke bezittingen van de heer Larry Voss te bevatten. Sam pakte de koffer weer op en bekeek zorgvuldig de voering. Hij diepte zijn sleutelring op uit zijn broekzak en gebruikte het kleine zakmesje dat eraan hing om de voering los te snijden. Er bleken twee foto's ter grootte van een ansichtkaart in verborgen te zijn.

De eerste foto toonde de Austin Maxi van Jason Harvey, geparkeerd op een landweg. Jason zelf stond op het punt in te stappen. Het was duidelijk dat hij niet besefte dat iemand een foto van hem nam – waarschijnlijk met een telescooplens.

De tweede foto was nòg raadselachtiger. Het was een opname van een bijzonder aantrekkelijk ogend jacht, voor anker liggend in een haven. Sam meende Poole Harbour in het graafschap Dorset te herkennen. De naam op de voorsteven van het jacht was nog juist leesbaar: *Easy Living*.

Uit een straat die niet al te ver weg kon zijn was het geluid van een tweetonige politiesirene hoorbaar. Sam richtte zich op. Zijn ontdekking was een uitstekende remedie tegen de pijn. Hij stak de beide foto's in de borstzak van zijn anorak en ritste hem dicht terwijl hij koers zette naar de voordeur.

Toen hij het pand verliet en linksaf sloeg, op weg naar zijn eigen auto, zag hij een patrouillewagen Galloway Street in scheuren, met ingeschakeld blauw zwaailicht.

Tot Sams verbazing stopte de politiewagen echter niet voor nummer 33, maar schoot langs hem heen naar de hoek waar hij de telefooncel had opgemerkt. Nu zag hij dat er op die plaats een heleboel mensen waren samengestroomd. Uit tegenovergestelde richting naderde juist een ambulance.

Sam draaide zich om en liep terug. Omstreeks het moment waarop hij de hoek van de straat had bereikt werd er een brancard de ambulance in geschoven. Politieagenten probeerden de nieuwsgierige omstanders tot doorlopen te bewegen. Onder hen ontdekte Sam een jonge vrouw met opvallend blond haar. Ze droeg een lichtbruine leren jas, dure schoentjes en een bijpassende sjaal. Sam verbaasde zich erover zo'n goed geklede vrouw tussen de kijklustigen te zien, maar hij had in zijn leven geleerd dat zelfs mensen van wie je dat volstrekt niet zou verwachten een morbide belangstelling voor ongelukken aan de dag kunnen leggen.

'Wat is er gebeurd?' vroeg hij een man die zich aan de buitenkant van de mensenmassa bevond.

'Volgens mij iemand die door een auto werd aangereden. Weer zo'n vervloekt geval van doorrijden na een ongeluk.'

Toen de deuren van de ambulance werden gesloten draaide Sam zich om en begon terug te lopen naar zijn auto.

Hij zat net achter het stuur en maakte zijn veiligheidsgordel vast, toen er een Mini Metro kwam aanrijden. Deze kwam zodanig tot stilstand dat het portierraampje van de bestuurder precies op gelijke hoogte was met dat van Sam. Hij keek opzij en zag dat het autootje werd bestuurd door de blonde vrouw in de leren jas. Ze draaide haar portierraampje omlaag en beduidde hem dat ze hem wilde spreken.

Haastig overtuigde Sam zich ervan dat er verder niemand in de buurt van zijn wagen was, voor hij zijn eigen portierraampje eveneens omlaag draaide.

'Ik dacht dat u 't misschien wel wilde weten,' zei ze. 'Het was een ongeluk.'

Sam liet niets van zijn verrassing blijken. 'Wat is er gebeurd?'

Ze sloeg zijn reactie belangstellend gade, met een vage glimlach op haar gezicht.

'Een minuut of tien terug werd er in het pand op nummer drieëndertig een schot gelost. Vrijwel onmiddellijk kwam er een man naar buiten rennen, via de voordeur. Hij verkeerde in paniek. Hij keek links en rechts om zich heen en begon toen de straat uit te rennen. Zodra hij bij de telefooncel was aangekomen rukte hij de deur open, sprong naar binnen en begon wanhopig in zijn zakken naar munten te zoeken.'

Sam luisterde met groeiende verbazing. Waarom was ze gestopt om hem dit ooggetuigeverslag op te lepelen?

'Uiteindelijk vond hij wat geschikte pasmunt en draaide een nummer. Hij bleef een minuut of drie aan het woord. Toen hij uit de cel stapte kwam er een auto de straat in rijden. De koplampen ervan beschenen de man. Hij draaide zich om en scheen te weten wat er ging gebeuren. Hij trok zich terug tegen de muur en beschermde zijn gezicht met zijn armen. Volgens mij rekende hij op een paar kogels. Maar de auto reed in een boog op hem af, schoot de stoep op en verpletterde hem tegen de muur. Daarna reed hij achteruit en verdween. De naam van het slachtoffer was Larry Voss.'

Terwijl ze haar raampje omhoog begon te draaien brulde Sam haar toe: 'Wie bent u? Hoe weet u dat allemaal?'

Ze beperkte haar antwoord tot een lachje en zette haar voet op het gaspedaal. Toen hij kans had gezien eindelijk zijn Porsche in de smalle straat te keren was de Metro spoorloos verdwenen.

5

Nog voor mevr. Carr kwam opdagen stond Bert Sinclair al bij Sam voor de deur. Hij verkeerde in een uitzonderlijk slecht humeur en zwaaide met een exemplaar van *The Daily World*. Zonder te wachten op een uitnodiging om binnen te komen liep hij met grote passen door naar de zitkamer. Zoals gebruikelijk op dat uur van de dag was het vertrek bezaaid met de overblijfselen van Sams ontbijt, dat hij altijd placht te verorberen terwijl hij in de kamer rondscharrelde.

'Heb je dit al gezien?' wilde de hoofdinspecteur weten. Hij duwde Sam de opgevouwen krant onder de neus.

MYSTERIE 'MARIUS OF RYE' NOG RAADSELACHTIGER
door Chris Morris

Jill Foster, het meisje dat de heer en mevrouw Harvey naar de luchthaven had gereden, werd gisteravond zelf aangevallen, na met inspecteur Harvey, de zoon van de beide slachtoffers, in een restaurant in Kensington te hebben gedineerd –

Het artikel was verlucht met drie foto's: de al bekende opname van de witte bestelwagen na de dubbele moord, een opname van de aantrekkelijke schouders en het mooie hoofdje van Jill Foster en een opname van de aanmerkelijk minder aantrekkelijke Sam Harvey die zojuist het gebouw van Scotland Yard verliet. Deze foto moest al verscheidene jaren oud zijn.

'Ja. Ik heb het zoëven zitten lezen.'

'Wat heeft dit voor de donder te betekenen?' vroeg Bert, zwaaiend met de krant. 'Ben je inderdaad gisteravond met dat meisje wezen eten?'

'Nee, dat ben ik niet.'

'Maar verdomme, wat moet dit dan voorstellen?'

'Bert, kalmeer nou toch! Ik was zonder meer al van plan je

precies te vertellen wat er in werkelijkheid is gebeurd.'

'Sam, je bent me een verklaring schuldig.' Dreigend zwaaide de hoofdinspecteur met zijn wijsvinger. 'En bij God, het is je geraden om met een behoorlijke verklaring voor de dag te komen!'

'Goed dan, Bert,' zei Sam op verzoenende toon. 'Nadat we elkaar op Scotland Yard hadden gesproken dacht ik dat het misschien nuttig zou zijn als ik nog eens een babbeltje met Jill Foster ging maken.'

'Jij wist donders goed dat we haar zouden laten ophalen! Je had je er niet mee moeten bemoeien, Sam!'

'Hoe bedoel je – ermee bemoeien?'

Bert merkte dat Sam niet in de stemming verkeerde om zich een uitbrander te laten welgevallen. Hij deed een poging zijn toon iets te matigen. 'Sam, ik weet hoe ontzettend dit je dwars moet zitten. Maar je zult moeten beseffen dat Bellamy deze zaak in onderzoek heeft. Niet jij.'

'Met andere woorden – steek je neus er niet in?'

'Daar komt 't wel op neer, Sam.' Bert smeet de krant op de zitbank en ging in een van de fauteuils zitten. 'Zo. Vertel me nu maar eens wat er gisteren is gebeurd.'

'Ik was in een taxi onderweg naar de gebroeders Brewster toen ik, stomtoevallig Jill Foster zag rijden. Ik ben uit de taxi gesprongen en – nou ja, om een lang verhaal kort te maken – ik overreedde haar hierheen te komen. Ze was zenuwachtig en leek nogal van streek, dus bood ik haar iets te drinken aan om haar op haar gemak te stellen. Terwijl ik in de keuken bezig was kwam er een zekere Larry Voss achter dat gordijn daar vandaan. De ellendeling begon met een mes op haar in te steken.'

'Larry Voss?'

'Ja.'

Onder het luisteren had Berts boosheid plaatsgemaakt voor intense belangstelling.

'Gisteravond werd er in Pimlico een man vermoord die Larry Vos heette.'

'Weet ik. Het was dezelfde.'

Bert zat Sam met een sluwe blik in zijn ogen op te nemen en vroeg toen: 'Was jij gisteravond soms in Pimlico?'

'Ja, inderdaad.' Sam toonde zijn halve lachje. 'En nu ga jij me vragen wat ik daar uitspookte en moet ik je 't antwoord schuldig blijven. Maar ik beloof je dat ik, als ik iets belangrijks ontdek – iets dat werkelijk van belang is – je helemaal op de hoogte zal brengen.'

'Maar het is aan jou om uit te maken wat "werkelijk van belang" kan zijn, veronderstel ik?' Bert keek de jongere man tegenover hem aan met een wrang lachje. 'Vooruit dan maar, Sam. Pak het maar aan op jouw manier. Jij hebt er altijd de voorkeur aan gegeven alleen te werken, zolang ik je al ken. Maar denk erom – het blijft officieus, onthou dat! En vertel me nu iets over deze knaap hier, deze Morris.'

'Morris?'

'Ja, de knaap die dit artikel heeft geschreven.' Bert stak zijn hand uit naar de krant en tikte er op met zijn knokkels. 'Chris Morris. Hoe komt hij aan die kolder over dat restaurant? Ik neem tenminste aan dat het kolder is?'

'Allicht is het onzin! Hij moet het zelf verzonnen hebben.'

Sam slenterde de kamer door om zijn kop, schotel en bord te verzamelen en op het dienblad te zetten.

'Heeft-ie zich bij het ziekenhuis laten zien?'

'Niet dat ik weet. Maar aangezien ik hem niet ken is het niet uitgesloten. In ieder geval heeft-ie geen contact met mij gehad.'

Er werd gebeld – twee keer lang en nadrukkelijk.

'Dat zou Bellamy kunnen zijn,' zei Bert. 'Ik had 'm gevraagd hierheen te komen. Hij is naar het ziekenhuis geweest.'

Sam bracht het dienblad naar de keuken alvorens open te gaan doen. Bellamy zat op één knie voor de deur zijn schoenveter vast te maken. Het verband op zijn hoofd had hij verwijderd, zodat de kaalgeschoren plek met een korstige wond in het midden zichtbaar was. Hij keek op naar Sam.

'Is Sinclair bij je?'

'Ja. Kom binnen.' Terwijl Bellamy zich in zijn volle, niet geringe lengte oprichtte, vroeg Sam: 'Moeilijkheden met je veters, Bellamy?'

'Ja. Er is er een gebroken.'

'Waarom draag je dan ook geen instappers?'

'Omdat ik er de pest aan heb,' gromde Bellamy, Sam volgend naar de zitkamer. 'Ik heb een te hoge wreef.'

'Môge, Bellamy.' Bert wuifde hem toe zonder op te staan. 'Wat voor nieuws heb je? Hoe was het met haar?'

'Aan juffrouw Foster hebben we ook al niet veel, vrees ik,' zei Bellamy somber.

'Heb je haar gesproken?'

'Ja. Met de grootste moeite. De dokter was er niet al te happig op om –'

'Zeg, wacht eens even,' viel Sam hem in de rede. 'Wat bedoel je met – aan juffrouw Foster hebben we ook al niet veel?'

'Volgens de dokter lijdt ze nog aan de gevolgen van een shock. En nu ik met het meisje heb gesproken – of althans een poging in die richting heb gedaan – begrijp ik wat hij bedoelde.'

'Wat heeft ze gezegd?'

'Niet veel,' zei Bellamy hoofdschuddend. Vanochtend was zijn gezicht nog langer dan gewoonlijk. 'Ofwel ze weet niet meer wat haar gistermiddag is overkomen, òf ze is doodsbang en vertikt 't om haar mond open te doen.'

'Bellamy,' drong Sam aan, '*wat* heeft ze tegen je gezegd?'

Bellamy keek Sam aan met een uitdrukking alsof hij wilde zeggen: goed jongen, je hebt erom gevràagd. 'Ze zei dat jij haar had opgepikt en gedwongen had met jou mee te gaan, hier naartoe. Ze beweerde dat jij haar allerlei vragen had gesteld en haar, toen ze weigerde die vragen te beantwoorden, een borrel had aangeboden.'

'Dat is niet helemaal waar,' merkte Sam rustig op.

'In elk geval spreek *ik* de waarheid,' antwoordde Bellamy strijdlustig. 'Zò heeft ze 't mij verteld.'

'Wat heeft ze nog meer gezegd?' drong Bert aan.

'Verder niks. Dat was alles.'

'Heb je haar dan niet gevraagd wat er precies is gebeurd? Heb je haar niet gevraagd wie haar met dat mes –'

'Ja, vanzelfsprekend heb ik haar dat gevraagd, meneer!' Bellamy maakte een gekrenkte indruk. 'Ze beweert dat ze zich niet kan herinneren wie haar heeft aangevallen. Ze kan zich er niets meer van herinneren.'

'We weten al wie haar heeft aangevallen,' onthulde Sam hem. 'Het was een zekere Voss.'

'Voss?' herhaalde Bellamy verbaasd. 'Larry Voss?'

'Ja. Ken je hem?'

'Inderdaad ken ik Voss. Voormalig helicopterpiloot. Uit de dienst getrapt wegens –' Bellamy's blik verplaatste zich van Sam naar Bert. 'Als dit waar is, waarom hebben we hem dan niet opgepakt?'

'Omdat-ie dood is,' zei Bert kalmpjes. 'Vermoord.'

'Voss? Vermoord, zegt u?'

'Ja. Aangereden door een auto. Gisteravond in Pimlico.'

'Dat was me niet bekend.' Bellamy draaide zich om naar de zitbank, zodat hij Sam recht aan kon kijken. 'Hoe weet jij dat het Voss was die Jill Foster heeft neergestoken? Heb je hem gezien?'

'Dat niet. Maar je kunt me op m'n woord geloven. Het was Voss.'

'Ik ben niet bereid jou op je woord te geloven, Harvey. Ik houd me aan de feiten.'

Sam staarde hem in zijn woedende gelaat. 'De feiten zijn dat Voss hier zonder mijn medeweten in de flat was, toen wij binnenkwamen. Ik liep even naar de keuken om een glaasje whisky in te schenken. En terwijl ik daarmee bezig was viel hij haar aan.'

'Maar jij hebt hem niet gezien?'

'Dat heb ik je al verteld.'

'Eerlijk, Harvey, ik ben hier helemaal niet gelukkig mee.'

Sam dwong zich tot een glimlach. 'Dan ben je niet de enige.'

Sam had z'n best gedaan om de bloedvlek in het vloerkleed te verwijderen, maar aan de scherpe ogen van mevr. Carr ontging niets. Hij zag zich genoodzaakt haar een smoesje over een ongeluk met de koffiepot op te dissen. Ze schudde op uiterst sceptische manier het hoofd en hij was er verre van zeker van dat ze hem geloofde. Om haar in een goede stemming te brengen besteedde hij wat tijd aan een praatje met haar, voordat hij de gang in liep om zijn regenjas aan te trekken. Het goot buiten.

Hij wilde juist de voordeur openen toen hij zijn telefoon hoorde rinkelen. Na een korte aarzeling besloot hij terug te gaan en het telefoontje aan te nemen.

'Met Sam Harvey?'

'Goedemorgen. Je spreekt met Margaret Randell.'

'O – ook goedemorgen, Margaret.'

'Ik hoop dat ik je niet stoor?'

'Om eerlijk te zijn belde je me op 't nippertje. Ik stond net op het punt de deur uit te gaan.'

'Ik neem aan dat je niet toevallig van plan was hierheen te komen?'

'Nee, dat niet. Maar ik kan natuurlijk van gedachten veranderen, als je mij dringend wilt spreken.'

'Tja – het is alleen zo dat –' Ze aarzelde en leek toen een besluit te nemen. Haar stem werd luider, alsof ze haar handen om haar mond hield. 'Ik heb zojuist gelezen wat er gisteravond met dat meisje is gebeurd.'

Sam besefte dat dit geen kort gesprekje ging worden. Door de hoorn met zijn kin tegen zijn borst te drukken zag hij kans zijn regenjas weer uit te trekken. Hij gooide hem over de leuning van de dichtstbijzijnde stoel.

'Jill Foster, bedoel je?'

'Ja. Er staat een foto van haar in de krant hier, en – nou ja, ik ben er vrijwel zeker van dat zij het meisje is over wie ik je heb verteld.'

'Je bedoelt het meisje dat de auto bestuurde waaruit dat jongetje stapte?'

'Ja. Helemaal zeker ben ik er niet van, maar ik *denk* dat het datzelfde meisje is.'

'Bedankt voor de inlichting, Margaret.'

'Ik wist niet of ik er goed aan zou doen, maar je had me gezegd dat ik, als er ook maar iets was –'

'Ik ben blij dat je me hebt gebeld, want ik wilde je zelf ook spreken.'

'O?' Het klonk bereidwillig en tegelijkertijd gevleid. 'Waarover?'

'Je echtgenoot – of, beter gezegd, je ex-man.'

'Walter? Wat is er met hem?' De klank van haar stem was veranderd, harder geworden. 'Heeft-ie je opnieuw lastig gevallen?'

'Nee. Hij heeft me alleen nieuwsgierig gemaakt, door de manier waarop hij over jou praatte. En nu vroeg ik me af –'

'Wat wil je over Walter weten?' vroeg Margaret. Ieder spoortje vriendelijkheid was uit haar stem verdwenen.

'Wat voert hij eigenlijk uit?'

'Voor de kost, bedoel je?'

'Ja.'

Ze moest lachen. 'Dat is een goeie vraag! En het is niet de eerste maal dat me die vraag wordt gesteld. Hij geeft zich uit voor Financieel Adviseur, maar – Nou ja, om er niet verder omheen te draaien... Hij gokt.'

'Je bedoelt dat hij beroepsgokker is?'

'Precies. Baccarat, roulette, poker, paarden, honden, alles. Je kunt het zo raar niet bedenken of hij wedt erop.'

'Nou, ik moet zeggen dat dit een verrassing voor me is. Zo zie je maar weer eens hoezeer de schijn kan bedriegen.'

'In ieder geval als het om Walter gaat, ja.'

Ondanks zichzelf moest Sam om haar bijtende toon lachen.

'Bedankt voor je telefoontje, Margaret. Waarschijnlijk kom ik binnen een dag of twee, drie nog even naar Guildford.'

'Ik verheug me bij voorbaat op je bezoek,' antwoordde Margaret. Haar stem klonk nu weer vriendelijk. 'Over Pennymore hoef je je nog geen zorgen te maken. Ik wip elke dag even naar binnen om het huis te controleren.'

Sams Porsche stond op de voor bewoners gereserveerde parkeerstrook, op een meter of vijftig afstand van de voordeur van de flat. Hij haastte zich er naartoe toen er vlak voor hem een auto naast de stoep stopte. Hij liep ernaast toen het portier openzwaaide.

'Meneer Harvey?'

Sam bleef staan en draaide zich om.

'Kent u mij nog?' Sam zag een jongeman uit de auto stappen. 'Peter Brewster – van Brewster Bros.'

'Ja, ik ken u nog. Wat kan ik voor u doen?'

Brewster smeet het portier dicht. 'Ik zou het op prijs stellen als u –' Hij zocht naar woorden, kennelijk verlegen. 'Ik zou graag even met u willen praten – als u een paar minuutjes voor me heeft.'

'Om de hoek is een koffiehuis. Laten we daar heengaan.'

Dankbaar knikte Brewster hem toe. Haastig viste hij een paraplu uit zijn auto, sloot het portier af en haalde Sam in.

'Ik veronderstel,' zei Sam, 'dat u de krant hebt gelezen?'

'Dat heb ik, ja.' Brewster stak zijn paraplu op. 'Meneer Harvey, wat er gisteravond is gebeurd weet ik niet, en ik heb er niets mee te maken –'

Sam keek hem recht in de ogen.

'Als u er niets mee te maken hebt, waarom bent u dan hier?'

'Omdat – Luister, ik weet niet wat Jill u heeft verteld – over mij, bedoel ik.'

'Wat brengt u op de gedachte dat ze mij iets over u zou hebben verteld, meneer Brewster?'

'Ik ben er eigenlijk van overtuigd dat ze dat heeft gedaan. Vandaar dat ik u graag mijn versie van het verhaal wil laten horen.'

'Goed. Ga uw gang dan maar.'

'Jill is een verdomd aantrekkelijk meisje, en ik heb al een tijdje pogingen gedaan om – nou ja, om op goeie voet met haar te raken. Ik sla mezelf niet graag op de borst, maar heus, gewoonlijk kost 't me weinig moeite om de vr –'

'Neem me niet kwalijk dat ik u in de rede val, meneer Brewster, maar ik ben nogal ouderwets ingesteld. Ik stel er prijs op als een verhaal een begin, een middendeel en een eind heeft.'

Ze bereikten een plek waar de bestrating was opgebroken. De werklieden waren gaan schuilen en hadden een gapend gat in de grond achtergelaten, afgezet met een belachelijk licht hekje. Brewster bleef achter om Sam de gelegenheid te geven om het gat heen te lopen en moest het op een holletje zetten om hem weer in te halen.

'Goed, ik zal bij het begin beginnen. Ongeveer een week geleden kreeg ik een anonieme brief. Er stond in dat Jill niet alleen haar referenties had vervalst, maar ook eens wegens winkeldiefstal was opgepakt. Ik heb Jill erover aangesproken en ze gaf toe dat het waar was. Ik zei haar dat ik niet moeilijk wilde doen. Tenslotte deed ze haar werk uitstekend en aangezien we goed met elkaar overweg konden zag ik geen enkele reden waarom –'

'U hoeft me dat allemaal niet uit te leggen.'

'Nou ja – gistermiddag wilde ze me spreken. Ze vertelde me dat ze opnieuw moeilijkheden met de politie had gekregen, en vroeg me of ik haar wilde helpen.'

'Helpen? Hoe dan?'

Ze hadden het eind van het plein bereikt. Brewster wachtte totdat ze allebei de rijweg hadden overgestoken, alvorens te antwoorden.

'Ze zei me dat ze wilde onderduiken en een dag of vier, vijf uit de circulatie dacht te blijven. Ze wist dat ik over een huisje op het land beschikte – ik had er vaak genoeg over gesproken, ziet u, en – wel, de rest kunt u wel raden. Ik sprak met haar af in dat huisje. Ze beloofde dat ze er om acht uur zou zijn. Ik ben tot middernacht blijven wachten, maar ze kwam niet opdagen. En dat is het hele verhaal, althans wat mij betreft. Begin, middendeel en eind. Behalve dan dat ik erg op Jill gesteld ben en graag zou willen weten waarin ze zich verdomme nu weer heeft laten betrekken.'

'U zegt dat u tot 's nachts twaalf uur in het huisje bent gebleven. Wat heeft u daarna gedaan?'

'Ik ben teruggereden naar de stad.'

Sam legde een hand op Brewsters arm en leidde hem naar de ingang van het koffiehuis. Het was nog te vroeg voor de koffiepauze, dus konden ze gemakkelijk een tafeltje vinden waar ze konden praten zonder dat er meteen iemand meeluisterde.

'U ook koffie?' informeerde Sam, toen er een meisje in spijkerbroek en bloes kwam aanslenteren om hun bestelling op te nemen. Brewster knikte.

'Twee koffie, graag.'

'Capucino's?'

'Ja. Grote koppen alstublieft.'

Het meisje knikte, maar beloofde niets.

'Waar staat dat huisje van u?' vroeg Sam, zodra het meisje vertrokken was.

'In Suffolk.'

'Heeft u iemand gezien of gesproken, in de tijd dat u er was?'

'Nee. Het huis staat tamelijk eenzaam. Dat is de reden waarom ik het heb gekocht.'

'Wat heeft u tussen acht en twaalf uur zoal gedaan?'

'Wat ik gedaan heb?'

'Ja. Televisie gekeken?'

'Nee, ik heb gelezen. Of liever gezegd, ik heb geprobeerd te lezen. Om u de waarheid te zeggen had ik nogal de smoor in.'

'Omdat u dacht, "Wel verdraaid, nou laat ze me alweer een blauwtje lopen!"'

'Dat,' grijnsde Brewster, 'is precies wat ik dacht.'

'Wel, ik dank u voor alle inlichtingen. U had mijn vragen niet hoeven te beantwoorden, maar gezien het gebeurde ben ik blij dat u dat desondanks hebt gedaan.'

'Kunt u me zeggen of Jill er slecht aan toe is?' Brewster boog zich over het tafeltje naar Sam toe, met een zorgelijke trek op zijn gezicht. 'Ik bedoel, werkelijk ernstig? Ik heb het ziekenhuis gebeld, maar die hielden zich nogal op de vlakte.'

'Ik heb begrepen dat ze voornamelijk last heeft van shock. Maar de dokters schijnen te geloven dat ze er weer helemaal bovenop zal komen.'

'God, wat hoop ik dat,' zei Brewster hartgrondig.

Verrassend vlug had het meisje in spijkerbroek hen twee dampende koppen koffie geserveerd, met een wit laagje schuim er bovenop. Sam liet er een klontje suiker in vallen en begon te roeren.

'Meneer Brewster, toen we elkaar de vorige maal spraken heb ik u een paar vragen gesteld over uw klanten –'

'Ja. U vroeg me of ik een zekere Hogarth als klant had, en ik heb u gezegd van niet.'

'U houdt een klantenbestand bij?'

'Van regelmatige klanten wel, ja. Hoewel ik de meesten bij naam en toenaam ken. Hoezo?'

'Is Walter Randell een klant van u?'

'Walter Randell?' Brewsters hoofd was voorovergebogen toen hij zijn kop naar zijn mond bracht. 'Dat geloof ik niet.

Hoewel de naam me be – Wacht eens even!' Hij zette zijn kop terug op de schotel. 'U bedoelt een tamelijk gedistingeerd uitziende meneer; goed in het pak, iemand die voortdurend aan zijn bril zit te frunniken?'

'Ja, dat is Randell.'

'Nou, die is geen klant van mij. Maar vreemd genoeg heb ik hem wel eens ontmoet.'

'Waar was dat?'

'In de Leopard Club, ongeveer een week geleden. Hij zat aan de roulettetafel. En hij won achterelkaar! Ik heb nog nooit zoveel geld bijelkaar gezien.'

De koffie was nog steeds te heet om te drinken. Sam haalde zijn sigaretten voor de dag en hield Brewster het pakje voor. Brewster schudde het hoofd.

'Wie stelde u aan hem voor?'

'Dat herinner ik me niet meer. Het was een feestje. Ik geloof trouwens niet dat we door wie dan ook aan elkaar werden voorgesteld. We raakten eenvoudig aan de praat.' Brewster knipte met zijn vingers. 'Ja, nou weet ik 't weer! Ik vroeg hem of hij altijd won, waarop hij zei: 'Het is ontzettend moeilijk om te verliezen, meneer Brewster.'

'Ja, dat is echt een opmerking van Randell. Dus hij wist hoe u heette?'

'Ja, inderdaad, nu ik erover nadenk. Maar waarom heeft u zoveel belangstelling voor Walter Randell?'

'Tja, ik weet het niet zeker, maar ik geloof dat hij een kennis is van Jill. En door een eigenaardig toeval woont zijn vrouw, of liever gezegd, zijn ex-vrouw, naast het huis waarin mijn ouders woonden.'

Sam had die ochtend een afspraak op het kantoor van zijn literair agent aan Russell Square. Toen hij in de ondergrondse onderweg was naar huis stapte hij uit in station Knightsbridge. Hij had voor het lunchuur nog een uur over en wilde een probleempje oplossen dat voortdurend aan hem had geknaagd.

De Prince Hal bleek een buurtcafé te zijn, gevestigd in een straat die uitkwam op Brompton Road. Vanaf 's middags twaalf uur was het er altijd stampvol mensen. Sam moest zich door de massa naar de tapkast wringen en toonde een joviale grijns, toen hij zich vastbesloten met behulp van zijn ellebogen een weg baande tussen groepjes luid pratende mensen. Naar zijn manier van doen te oordelen moest hij op zoek zijn naar een kennis die hij hier kennelijk verwachtte te zien.

Sam was ten aanzien van de identiteit van die kennis nog niet tot een conclusie gekomen. Hij had het merendeel van de bezoekers vlug in zich opgenomen en begon al te denken dat hij de plank had misgeslagen, toen hij aan het uiteinde van de tapkast een gezette, kleine man met kalend hoofd van een barkruk zag glijden. Sam had hem al bereikt voor de man kans had gezien een bankbiljet van een pond op de tapkast te leggen. De barjuffrouw, een stevige blondine met een formidabele boezem, nam het bankbiljet op en draaide zich om naar de kassa.

'Zo is het in orde, Wendy.'

'Dank u wel, meneer Corby.'

Corby knikte haar grootmoedig toe. Hij hield een branddende lucifer tegen de sigaar die hij tussen zijn vingers klemde, draaide zich om en botste tegen Sam op.

'Sorry, makker.' Op dat moment keek hij op en herkende Sams gezicht. Zijn zelfverzekerde air van man van de wereld ging in rook op. 'O. Goeiendag.'

'Goeiendag, meneer Corby.' Sam begroette hem als een oude vriend. 'Hoe gaat het met u?'

'Ik – eh – ik maak het best, dank u.'

'Ik zou u hier niet hebben verwacht.'

'Ik u al evenmin,' grinnikte Corby.

Sam wuifde de barjuffrouw toe. 'Wendy is een ouwe kennis van me.'

'Er is hier om de hoek een handel in gebruikt goed. Zo nu en dan doe ik zaken met ze,' legde Corby hem uit. 'Eigenlijk zou ik moeten zeggen dat ik probéer zaken met ze te doen. Het zijn moeilijke mensen.' Hij keek nerveus om zich heen en begon zachter te spreken. 'Is er al iets bekend?'

'Bekend?'

'Ja. Over mijn film.'

'Inspecteur Bellamy stelt een onderzoek in. U zult vanzelf

wel bericht van hem krijgen.'

Corby knikte, terwijl zijn vinnige oogjes Sams gezicht bestudeerden. 'Nou, als u soms eens op zoek mocht zijn naar iets op het gebied van antieke meubelen belt u me maar. Tot kijk, Wendy!'

Hij zwaaide naar de barjuffrouw, overtuigde zich ervan dat zijn portefeuille veilig opgeborgen zat in zijn binnenzak en begon zich een weg door de menigte te banen.

'Tot kijk, meneer Corby!' riep de barjuffrouw hem na. 'En nogmaals bedankt.'

Sam ging op de kruk zitten die Corby zojuist had ontruimd. 'Dag Wendy.'

'Kijk eens aan, wie hebben we daar!' Wendy schonk hem een gulle lach, terwijl ze wat gemorst bier opdepte van de tapkast.

'Geen vreemde, zoals je ziet. Hoe gaat 't met je?'

'Och, alles bijeen genomen niet slecht.'

'En de jongen?'

'Prima.' Wendy stak haar moederlijke trots niet onder stoelen of banken. 'Hij begint flink te groeien. Zo nu en dan voel ik me honderd, maar ja, zo gaat het nu eenmaal.' Ze trok een ernstig gezicht en dempte haar stem. 'Ik vond het heel erg, toen ik het hoorde van uw vader en moeder. Ik was er helemaal van streek van, eerlijk –'

'Tja, eh –'

Ze bespeurde het bijna onmerkbaar zakken van zijn schouders en veranderde vlug van onderwerp.

'Wat zal het zijn, meneer? Het oude recept? Tomatensap?'

'Nee. Geef me maar een gin-tonic.'

'Als-je-me-nou – dat zijn geen halve maatregelen! Waar moet dat op uitdraaien, vraag ik me af!'

Ze keerde hem haar brede rug toe om een vingerdikte gin uit een van de rij omgekeerde flessen af te tappen. Daarna bukte ze zich om een flesje tonic te pakken.

'Is die meneer Corby een geregelde bezoeker hier?' vroeg Sam haar, terwijl ze behendig de dop van het flesje wipte en de halve inhoud bij de gin schonk.

'Nee, dat niet. Ik denk dat-ie zo om de veertien dagen z'n

gezicht laat zien. Hij doet in antiek, en schijnt zo nu en dan dat veilinglokaal om de hoek te bezoeken.'

'Ja, dat vertelde hij me. Komt-ie altijd alleen?'

'Nee, meestal is er iemand bij hem.' Ze liet een schijfje citroen in het glas vallen en schoof hem het drankje toe. Hij is nogal dik met een vent die Morgan heet. Phil Morgan, zo heet-ie, geloof ik. Kent u hem?' Sam schudde het hoofd. 'Nogal dik, met een gitzwarte baard. Afschuwelijk kereltje. Drinkt wodka of het water is en kan nooit z'n handjes thuis-houden. Ik heb dat mannetje gewaarschuwd dat-ie een lel kan krijgen als-ie me nog eens aanraakt!'

Sam moest erom lachen. Een lel van Wendy moest een onvergetelijke ervaring zijn...

'Heb je vanmorgen *The Daily World* nog gelezen?'

'Nee. Ik lees 's morgens nooit kranten. Voordat ik de jon-geheer naar school heb gebracht, de vaat heb gewassen en mezelf heb bijgepleisterd heb ik geen tijd om te kijken, laat staan een krant te lezen.'

Sam trok een opgevouwen stuk krant uit zijn zak. Hij wees naar de foto waarop het hoofd en de schouders van een meisje waren te zien.

'Bekijk dit meisje eens goed, wil je? Ze heet Jill Foster.'

Wendy liet haar boezem op de tapkast leunen om de foto beter te kunnen bestuderen.

'Jill Foster?'

'Ja, ken je haar?'

'Nee, maar ik heb haar wel eens gezien.'

'Hier?'

'Ja. Ze is hier verscheidene keren geweest. Een keer met dat afschuwelijke kereltje over wie ik het zoëven had. Phil Morgan.'

Enkele deuren van de Prince Hal verwijderd was een bloe-menzaak te vinden. Sam kocht er een bos chrysanten, alvo-rens een taxi te wenken. De rit naar zijn flat duurde slechts enkele minuten. Hij verzocht de taxichauffeur te wachten, terwijl hij naar boven ging om het tasje van Jill Foster op te halen. Bij vorige bezoeken aan het ziekenhuis was hem op-gevallen hoe moeilijk het was er een parkeerplaatsje te vinden. Toen de taxichauffeur hem tien minuten later voor de hoofdingang afzette zag hij dat hij er verstandig aan had gedaan per taxi te komen. Er was geen plekje meer over, en een stel parkeerwachten had de handen vol aan het schrijven van bonnen voor de wagens die langs de gele stoeprand waren geparkeerd.

Het meisje achter de receptiebalie kende hij niet, noch herkende hij een van de verpleegsters die hij af en aan zag hollen. Hij stond juist op het punt zich officieel te gaan melden, toen hij dr. Majdoeli's bekende gestalte ontdekte. De arts uit India scheen geen woord teveel te hebben gezegd, toen hij beweerde altijd dienst te hebben. De schaduwen onder zijn ogen waren zo mogelijk nog zwarter dan eerst, maar niettemin toonde hij een hartelijke glimlach toen Sam de grote hal overstak om hem staande te houden.

'Dag inspecteur. Leuk u weer te zien. Hoe maakt u het vandaag?'

'Best, dank u. En juffrouw Foster?'

De dokter pakte Sams arm beet en begon hem mee te trekken naar de gang.

'Aanvankelijk voelde ze zich vanmorgen niet zo best, maar gelukkig kan ik u melden dat er verbetering in is gekomen. Uw collega, inspecteur Bellamy, heeft haar niet bepaald opgevrolijkt, vrees ik. Zoudt u haar willen bezoeken?'

'Ja, als dat tenminste mogelijk is.'

'Er is op dit moment iemand bij haar, maar –'

'Heeft ze bezoek?'

'Ja, een vriendin. Maar als u bereid bent een minuut of vijf, tien te wachten –'

'Vanzelfsprekend.'

Ze hadden de open ruimte opzij van de gang bereikt die als wachtruimte fungeerde. Dr. Majdoeli gebaarde uitnodigend naar de lege stoelen.

'Maak het u gemakkelijk. Zal ik de zuster vragen of ze de bloemen even wil verzorgen?'

'Als dat zou kunnen? En dit is het tasje van juffrouw Foster.'

Dr. Majdoeli ontfermde zich over bloemen en tasje. 'Ik zal zorgen dat ze het krijgt.'

Sam nam plaats op dezelfde stoel als waarop hij bij z'n eerste bezoek had gezeten. Hij mopperde op zichzelf omdat hij vergeten had iets te lezen mee te nemen. Afwezig tastte hij in zijn zak naar sigaretten, maar zag een vrouw die tegenover hem was komen zitten met arendsogen naar hem kijken. Het schoot hem te binnen dat roken hier verboden was. Het had geen enkele zin de stukgelezen tijdschriften op de tafel door te bladeren, maar iemand had een opengeslagen boek onbeheerd op een van de stoelen achtergelaten. Het kwam hem vaag bekend voor. Hij pakte het op en begon te glimlachen toen hij de illustratie op de omslag bekeek.

Hij begon de bladzijden om te slaan. Vreemd dat je je zo door je eigen boek in beslag kon laten nemen. Hij merkte niet eens dat er een vrouw naar hem toe was komen lopen die voor hem bleef staan, totdat ze het woord tot hem richtte.

'Neemt u mij niet kwalijk, maar dat is mijn boek.'

Sam keek op. Allereerst zag hij de lichtbruine leren jas en daarna het blonde hoofd van de vrouw die hem de dood van Larry Voss in geuren en kleuren uit de doeken had gedaan.

'*Uw* boek?' vroeg hij, bijna met stomheid geslagen.

'Ja. Ik had het hier laten liggen.'

'O.' Sam klapte het boek dicht en reikte het haar aan.

'Dank u,' zei ze glimlachend.

'Ik – ik heb u gisteravond gezien, in Pimlico. U heeft met mij gesproken.'

'Dat klopt.' De ontmoeting leek haar volstrekt niet van haar stuk te brengen. 'Misschien kan ik me beter even aan u voorstellen, meneer Harvey. Ik ben Chris Morris.'

'Chris Morris!' Het duurde even voor Sam deze informatie had verwerkt. 'Dus u bent degene die dat artikeltje over mij en Jill Foster heeft geschreven?'

'Jill is een vriendin van me. Stomtoevallig reed ik langs het ziekenhuis toen ze per ambulance werd afgeleverd. Ik kon het nauwelijks geloven, toen een van de verpleegsters me vertelde dat het Jill was geweest die –'

Sam stond op. Zelfs nu was hij slechts luttele centimeters langer dan zij.

'En het was zeker ook stomtoevallig dat u gisteravond in

Pimlico was omstreeks het moment waarop Larry Voss werd vermoord? Was hij soms ook een kennis van u?'

'Nee.' Ze schudde nadrukkelijk het hoofd. 'Ik had tot gisteravond zelfs nog nooit van de man gehoord.'

'Wat voerde u dan uit in de buurt van zijn appartement?'

'Ik volgde iemand.'

'En stomtoevallig bracht degene die u schaduwde een bezoek aan Pimlico, op de avond waarop Voss om zeep werd geholpen?' vroeg Sam, zonder zelfs maar een poging te doen zijn ongeloof te verbergen. 'Zat het zo?'

'Zo zat het, ja,' glimlachte ze stralend.

'En wie was de bewuste persoon?'

'Kunt u dat niet raden? Ik schaduwde u. Zoals ik trouwens de laatste drie dagen voortdurend heb gedaan.'

Nog vóór Sam de tijd kreeg zich werkelijk kwaad te maken verscheen er een verpleegster in de toegang naar de wachtruimte.

'Inspecteur Harvey? Als u even met me meeloopt zal ik u naar juffrouw Foster brengen.'

'Dank u, zuster.' Sam wendde zich weer tot de verslaggeefster. 'Ik blijf niet lang. Wilt u hier altublieft op me wachten? Ik zou dit gesprek graag nog even willen voortzetten.'

Er stonden maar drie bedden in Jills ziekenkamer. De overige twee bedden waren leeg, voor het moment. Jill zat rechtop in de kussens, maar ze maakte nog steeds een nerveuze indruk. Kennelijk voelde ze zich nog niet op haar gemak. Ze was bleek en had donkere kringen onder haar ogen. Haar tasje stond op het nachtkastje naast haar bed. Sams bloemen waren al in een vaas van het ziekenhuis geschikt en op het nachtkastje gezet.

De verpleegster schudde het kussen achter Jills hoofd even op en pakte haar waterkan om die met vers water te vullen.

'Alles in orde, liefje?'

'Ja, dank u, zuster.'

'Ik ben zo terug, maar als je me nodig hebt bel je maar gerust –'

Ze wierp Sam een waarschuwende blik toe, alsof ze hem op het hart wilde drukken voorzichtig met haar patiënte om te springen. Toen liep ze de kamer uit.

'Bedankt voor de mooie bloemen.'

Eindelijk sloeg Jill haar ogen op en keek Sam aan. Hij stond aan het voeteneinde van het bed op haar neer te kijken.

'Hoe voel je je?'

'Och, ik weet 't eigenlijk niet. Beter dan eerst, vermoed ik.'

'Ik sprak zoëven nog een vriendin van je.'

'Een vriendin van – O, Chris!'

'Ja.'

'We liepen elkaar tegen het lijf, in de wachtruimte. Heb je dat artikel van haar nog gelezen?'

'Nee, maar ze zei me dat ze een artikel zou gaan schrijven. Heb jij het wel gelezen?'

'Ja. Maar ik zou zo zeggen dat het niet helemaal strookt met de feiten.' Om haar te ontlasten van de inspanning die het haar moest kosten naar hem op te zien, nam Sam plaats op de stoel naast het bed. 'Ik heb begrepen dat je Bellamy had verteld dat je de man die jou heeft neergestoken niet met eigen ogen hebt gezien.'

'Ja,' antwoordde ze, slecht op haar gemak. 'Dat klopt.'

'Nou, dan heb ik een nieuwtje voor je. Het was een zekere Larry Voss.'

Ze reageerde tè vlug, toen ze zijn blik ontweek. 'Ik heb nog nooit van iemand gehoord die –'

'Jill, wacht nou even,' viel Sam haar waarschuwend in de rede. 'Voss is dood. Hij werd vermoord.'

Haar mond viel open en met een ruk draaide ze haar hoofd om. 'Voss? Dood?' fluisterde ze.

'Ja. Heeft je vriendin, Chris Morris, je er dan niets over verteld?'

'Met geen woord.' Sam meende iets van opluchting in haar gezicht te ontdekken. 'Maar wat,' vroeg ze, 'is er dan precies gebeurd?'

'Hij werd van kant gemaakt. Gisteravond nog.'

'Door wie?'

'Weet ik niet. Ik hoopte dat jij me dat zou kunnen vertellen.'

'Er waren massa's mensen die gruwelijk het land hadden aan Voss. De man had veel vijanden,' zei ze, alsof ze in zichzelf praatte. Toen voegde ze eraan toe: 'Het spijt me dat ik je niet kan helpen.'

Heel even verscheen het gezicht van de verpleegster voor het kleine ruitje in de deur, om dadelijk weer te verdwijnen.

'Goed dan. We zullen Voss even vergeten en het eens over een andere kennis van je hebben.'

'Voss wás geen kennis van mij!' verbeterde ze hem boos.

'Maar Peter Brewster toch wel, veronderstel ik. Klopt het dat je zijn hulp hebt ingeroepen?'

'Heeft Peter je dat verteld?'

'Dat doet er nu niet toe. Héb je hem om hulp gevraagd, ja of nee?'

'Ja. Ik maakte me bezorgd.' Ze zweeg en maakte de zin daarna zonder veel overtuiging af. 'En ik dacht dat hij me misschien zou kunnen helpen.'

'Op welke manier kon hij jou dan helpen, dacht je?'

'Ik wilde – Nou ja, ik wilde een poosje verdwijnen. Ik wist dat hij een huisje op het land had en dacht dat ik hem er misschien toe zou kunnen overhalen me daar een poosje te laten blijven.'

Ze wierp hem een vluchtige blik toe, alsof ze wilde zien in hoeverre hij haar verklaring slikte.

'En – kón je hem ertoe overhalen?'

'Ja. Hij zei me dat ik er zo lang mocht blijven als ik maar wilde. We spraken af elkaar daar te zullen ontmoeten. Gisteravond. We zouden het weekeinde samen doorbrengen.'

Achteloos diepte Sam het boekje lucifers op uit zijn zak, dat hij in haar tasje had aangetroffen. Terwijl hij tegen haar bleef praten draaide hij het in zijn hand om en om, zonder het boekje open te maken.

'Waarom wilde je je schuilhouden?'

'Dat heb ik je al verteld. Ik zat in de nesten. Nog steeds, trouwens.'

'Moeilijkheden met de politie?'

'Ja. Nee, niet alleen met de politie.'

Ze had terloops naar de lucifers gekeken, zonder ook maar iets van belangstelling te laten blijken. Hij verzette zijn stoel enigszins, zodat hij haar recht kon aankijken.

'Jill – als je me de waarheid wilt zeggen – als je bereid bent me precies te zeggen in hoeverre jij in deze affaire verwikkeld bent, zal ik alles doen dat in m'n vermogen ligt om jou te helpen.'

'Dat weet ik, ja. Dat heb je al eerder gezegd. Maar je *kunt* me niet helpen. Dat kan niemand.'

'Laat mij dat nou maar beoordelen. Waaróm wilde je verdwijnen? Voor wie zat je in je rats? Voor Voss misschien?'

Ze knikte. Hij begreep dat ze nog steeds bang moest zijn, zelfs nu de man dood was.

'Alleen voor Voss? Vroeg of laat zul je je mond moeten opendoen tegen mij. Je kunt het me evengoed nu zeggen.'

'Ik wil niets zeggen. Toe, ga nu alsjeblieft weg. Ik voel me niet zo goed.'

Ze stak haar hand uit naar de bel en drukte. Sam stond op.

'Het spijt me dat je je niet goed voelt. Ik wilde je niet van streek maken. We praten nog wel eens.' Hij liet haar het luciferboekje zien, met de afbeelding naar haar toe. 'O, tussen haakjes, dit vond ik in je handtasje.'

'Dat is niet van mij,' zei ze haastig.

'Natuurlijk is dit van jou,' verzekerde hij haar rustig.

'Ik gebruik vrijwel nooit lucifers! Ik heb een prima aansteker.'

'Weet ik. Maar dit is meer dan een boekje lucifers.'

Nu pas keek ze wat zorgvuldiger naar het luciferboekje.

'Zat dát in mijn tasje?'

'Ja.'

'Waar was mijn tasje dan? Waar heb je het gevonden?'

'Het lag op de grond, half onder de zitbank. Je moet het los hebben gelaten toen je werd aangevallen.'

Ze nam het boekje van hem aan en bestudeerde de foto van de Prince Hal.

'Ik heb 't nog nooit gezien. Ik kan alleen maar tot de conclusie komen dat iemand dit in mijn tasje moet hebben gestopt.'

'Wanneer dan?'

'Weet ik veel,' zei ze ongeduldig. 'Geen flauw idee. Of Voss moet terug zijn gegaan naar de flat, toen wij onderweg waren naar het ziekenhuis.'

Sam knikte naar de foto met de slagzin: 'Uw gezellige buurtcafé.' 'Ben je ooit in die gelegenheid geweest – de Prince Hal?'

'Nee, nooit, Ik weet niet eens waar het is.'

'Maak het boekje maar open. Bekijk de binnenkant eens.'

Ze opende het luciferboekje en scheen zich niet bepaald te verbazen over het feit dat er geen enkele lucifer meer inzat.

'Wat,' vroeg Sam, 'zeg je van die telefoonnummers?'

'Die zeggen me helemaal niets. En ik heb je al meer dan eens gezegd dat ik niemand van de naam Hogarth ken.' Hij nam haar het boekje weer uit handen en begon er met zijn knokkels op te tikken. 'Wat wil je hier eigenlijk mee zeggen? Dat je me niet gelooft?'

'Ik doe m'n uiterste best je te geloven,' zei hij.

'Ik heb je de waarheid verteld. Meer kan ik niet doen.'

Sam wierp een blik naar de deur, luisterend of hij de voetstappen van de zuster al hoorde naderen. Hij wist dat hij nog maar weinig tijd had.

'Vertel me dan tenminste de waarheid over m'n vader en moeder. Waar heb je hen precies heen gebracht, nadat je hen had opgehaald van het vliegveld?'

'Dat herinner ik me niet meer.'

'Waar stond dat huis ergens?'

'Dat heb ik je al gezegd – ik weet 't niet meer!'

'Je stond op het punt het me te vertellen. Als Voss er niet tussen was gekomen zou je 't me hebben verteld.'

'O, alsjeblieft! Laat me alsjeblieft met rust –' Opeens vertrok haar gezicht van pijn. Voorzichtig liet ze zich terugzakken in de kussens.

'Goed, goed, Jill. Het spijt me. Als je van gedachten mocht veranderen en met me wil praten geef je de dokter maar een seintje.' Hij wandelde naar de deur maar bleef plotseling staan. 'O ja, neem me niet kwalijk, maar ik zou je graag nog één ding willen vragen voor ik wegga. Waarom bracht je die jongen naar Pennymore?'

'Jongen? Welke jongen?' Ze sperde haar ogen wijd open,

alsof ze totaal verbijsterd was. 'En wat is Pennymore in hemelsnaam?'

'Het huis in Guildford waarin m'n ouders woonden. Toen mijn vader er een bod op had gedaan bleef hij maar zeggen, "en geen penny meer". Ze besloten het huis zo te noemen.'

Haar gezicht onthulde hem niets. Bij het horen van de naam had ze geen enkele reactie vertoond. Ze glimlachte niet eens om het onschuldige grapje.

'Dus je weet absoluut niet waarover ik het heb?'

'Nee. Ik vrees van niet.'

'Och, belangrijk is het niet.' Hij lachte. 'Hopelijk voel je je gauw wat beter.'

Toen hij zijn hand op de deurknop legde ging de deur met een ruk open, zo onverwachts dat hij hem bijna tegen z'n gezicht kreeg. De verpleegster kwam met opgestoken zeil binnen. Ze had haar mouwen tot boven haar ellebogen opgerold en scheen ertoe in staat om Sam er hardhandig uit te gooien.

'Had u om mij gebeld?' wilde ze weten. Haar woedende blik gold echter niet Jill maar Sam.

'Ja, maar het doet er al niet meer toe. Het spijt me, zuster.'

'Ik stond op het punt te vertrekken,' legde Sam schaapachtig uit.

'Die vrouw waarmee u stond te praten –' De verpleegster zag kans door de toon waarop ze het uitsprak te suggereren dat Sams gesprekje met Chris Morris hoogst onbehoorlijk was geweest.

'Ja?'

'Ze vroeg me u te zeggen dat 't haar speet, maar dat ze beslist weg moest. Ze zei dat ze proberen zou u te bellen. Ik beloofde haar de boodschap door te geven.'

Hij bedankte haar met gepaste onderdanigheid en glipte vlug de deur uit.

Jills kennissen en vrienden waren blijkbaar van plan de korte bezoekuurtjes van het ziekenhuis tot op de laatste seconde te benutten. Toen hij de grote hal overstak zag Sam Peter Brewster binnenkomen. Hij droeg nu een ander, maar al even onberispelijk kostuum. Hij had zijn handen meer dan vol aan een enorme bos bloemen en een doos in geschenk-verpakking.

'Goedemiddag, meneer Brewster,' zei Sam, zijn hand op-stekend om Brewsters aandacht te trekken.

Brewster bleef staan en kwam bezorgd naar hem toe.

'Hebt u Jill gesproken?'

'Ja. Ik kom zojuist van haar vandaan.'

'Hoe is 't met haar?'

'Niet al te beroerd, gezien de omstandigheden.'

'Ik ben gisteren al hier geweest, meteen nadat ik u had gesproken. De dokter vond niet goed dat ik haar bezocht.'

'Ik geloof niet dat ze zich gisteren al te prettig voelde.'

Brewster keek haastig om zich heen om zich ervan te over-tuigen dat er niemand dicht genoeg in zijn buurt stond om te kunnen horen wat er werd gezegd.

'Inspecteur, na dat gesprekje tussen ons heb ik voortdu-rend nagedacht over al die vragen die u mij stelde. En ik heb besloten dat ik, de volgende keer als ik u sprak, al m'n kaar-ten op tafel zou leggen. Denkt u misschien dat *ik* degene ben die Jill heeft aangevallen? Want als dat zo is –'

'We weten wie haar heeft aangevallen. Een zekere Larry Voss.'

'Voss? Ik dacht dat hij dood was? Het werd over de radio gezegd.'

'Dat zal wel, ja. Heeft u Voss gekend?'

'Ik heb hem éénmaal ontmoet. Hij bracht toen een be-zoek aan de garage.' Brewsters ogen waren gericht op een rijdende brancard die door de hal werd geduwd. 'Hij wilde Jill spreken, maar ze was een rit aan 't maken. We stonden een poosje met elkaar te praten – over auto's, als ik 't me goed herinner. Hij bezat een Lotus en dacht erover die wa-gen te verkopen.'

'Waarom wilde hij Jill spreken?'

'Ik weet niet waarom. Hij zei er niets over en ik heb er niet naar gevraagd.' Brewster legde een hand op Sams arm. 'Harvey, vertel me eens – wat voor moeilijkheden heeft Jill eigenlijk? Is ze ergens bang voor, of zo?'

'Ze heeft mij niet in vertrouwen genomen.'

111

'Maar u zult er wel het uwe van denken.'

'Mijn ouders werden allebei vermoord,' zei Sam toonloos. 'Ik denk dat Jill weet wie hen heeft vermoord en waarom.'

Brewster toonde zich geschokt. Hij schudde het hoofd.

'Maar ik heb een heel lang gesprek gehad met Jill, over uw ouders – dat was nadat u haar in dat Italiaanse restaurant had ondervraagd. Ze zei dat ze hen geen van beiden ooit had gezien voor ze hen ging afhalen bij Waterloo Station.'

'Ik heb zo'n idee dat ze u niet de waarheid heeft verteld.'

'Luister.' Brewster sloofde zich geweldig uit om te laten zien dat hij een besluit had genomen. 'Ik zal mijn kaarten op tafel leggen –'

'Ik dacht dàt u dat al had gedaan, meneer Brewster,' hielp Sam hem met een vaag lachje herinneren.

'Gisteravond besefte ik voor de eerste maal pas goed hoe dol ik eigenlijk op Jill ben. Als ze werkelijk in moeilijkheden is wil ik haar helpen.' Opnieuw legde hij een hand op Sams arm, maar hij moest hem dadelijk weer gebruiken om te voorkomen dat het cadeau onder z'n arm vandaan gleed. 'Gelooft u mij alstublieft, ik wil alles doen om haar te helpen. Werkelijk.'

'Probeer haar dan tot andere gedachten te brengen.'

'Tot andere gedachten? Waarover?'

'Jill heeft m'n ouders weer opgehaald van London Airport, om ze daarna naar een huis ergens buiten Londen te rijden.'

'Heeft *zij* u dat verteld?'

'Ja. Maar jammer genoeg verscheen opeens Larry Voss op het toneel, net toen ze mij wilde zeggen waar dat huis te vinden was.'

'Ik begrijp het. En nu, veronderstel ik, weigert ze verder haar mond open te doen?'

'Als u werkelijk zo dol op haar bent, meneer Brewster,' maande Sam hem met een ernstig gezicht, 'zoudt u er heel verstandig aan doen als u haar ertoe overhaalde haar mond open te doen, gelooft u mij.'

Terug in zijn flat zag Sam kans twee uurtjes achter zijn bureau door te brengen voor zijn bezoeker arriveerde. Bellamy was druipnat, nadat hij – terwille van zijn lichamelijke conditie – het grootste deel van de weg vanaf Victoria Street door de regen had gelopen. Hij had zich door die omstandigheid niet in het minst laten afschrikken. Nu hing hij zijn doorweekte regenjas, hoed en paraplu in de gang aan de kapstok. Klaarblijkelijk zou dit geen vluchtig bezoekje worden. Sam besloot er het beste van te maken.

'Man, je ziet eruit alsof je wel een borrel zou kunnen gebruiken. Wat zou je zeggen van een whisky, om weer wat op temperatuur te komen?'

'Nee, merci, ik drink nooit whisky.'

'Misschien een gin-tonic, dan?'

'Alleen de tonic graag. Geen gin.'

Sam schudde het hoofd toen hij onderweg was naar de keuken. Wat had het voor zin om fit te blijven, als je niet van het goede der aarde wilde genieten?'

Toen hij, met een glas tonic in de ene en een stevige whisky in de andere hand, terugkwam in de zitkamer, had Bellamy het zich in een leunstoel gemakkelijk gemaakt. Hij gebruikte zijn zakdoek om de regendruppels van zijn gezicht te deppen.

Sam overhandigde hem zijn glas en hief het zijne.

'Skol!'

Behoedzaam proefde Bellamy van zijn drankje, alsof hij Sam ervan verdacht er iets in te hebben gedaan.

'Ik heb zo'n idee dat je wel weet waarom ik hier ben.'

'Omdat je over Voss wilde praten?'

'Onder andere. Waarom ben jij een bezoek gaan afsteken bij Voss, op de avond waarop hij werd vermoord?'

'Ik hoorde Jill Foster een naam roepen, vlak voor ze werd neergestoken. Later realiseerde ik me dat het de naam Voss was geweest.'

'O ja?'

'Ja. Vandaar dat ik het tijd vond worden deze heer eens met een bezoek te vereren.'

Bellamy zette zijn glas neer en schudde de doorweekte zomen van zijn broekspijpen uit.

'Kwam het dan niet in je op dat mij inlichten het enig juis-

113

te was dat je kon doen?'

Sam leunde tegen de rand van zijn bureau.

'O jawel, dat kwam wel degelijk bij me op. Maar ik vond dat jij op dat moment al meer dan genoeg hooi op je vork had.'

'Luister, Harvey, ik wil niet moeilijk doen. Ik weet hoe jij je moet voelen, maar *ik* ben belast met dit onderzoek.'

'Dat weet ik maar al te goed, Bellamy. En ik zal je helpen zoveel ik maar kan. Wat wil je graag dat ik doe?'

'Nou, om te beginnen zou ik graag zien dat je een wat minder neerbuigende houding aannam en wat meer bereid was tot meewerken.'

Sam trok zijn wenkbrauwen op en deed vervolgens zijn best om er zo bereidwillig mogelijk uit te zien.

'Hoe bedoel je dat precies, Bellamy?'

'Ik wil graag wat inlichtingen en jij bent de enige die ze mij kan verstrekken. Ik heb begrepen dat jouw vader voor een van de grote verzekeringsmaatschappijen werkte?'

'Dat klopt. Hij is een jaar of vier geleden met pensioen gegaan.'

'Een pensioen van het bedrijf?'

'Ja.'

Bellamy staakte het gefrunnik aan zijn broekspijpen en keek op.

'Zou jij zeggen dat je vader een rijk man was?'

'Goeie genade, nee! In de verste verte niet!'

'Of dat hij er warmpjes bij zat?'

'Nee. Je kon hem zelfs niet welgesteld noemen, althans niet volgens de huidige maatstaven. Mijn moeder heeft wat geld geërfd toen haar broer overleed.'

'Hoeveel zou je vader volgens jou ongeveer waard zijn geweest?'

'Ik zou het je niet kunnen zeggen.'

'Sla er eens een slag naar. Twintigduizend, dertigduizend, veertigduizend –'

Sam, die zich nu werkelijk verbaasde over het soort vragen dat Bellamy hem stelde, nam eerst een stevige slok whisky en dacht eens diep na, alvorens antwoord te geven.

'Waarschijnlijk twintigduizend, afgezien van Pennymore.

Dat is het huis van m'n ouders.'

'Wanneer hebben ze dat gekocht?'

'Eh - zo'n vijfentwintig jaar geleden, denk ik. Maar morgen zal ik wat meer van m'n vaders aangelegenheden afweten. Ik heb een afspraak met zijn advocaat.'

'Wie is die advocaat?'

'Het is een firma – Adams, Smith en Gilbert. De oudste vennoot, George Adams, was met mijn vader bevriend.'

'Harvey, leg me dit eens uit: waarom zijn je ouders naar Londen gegaan, in plaats van linea recta naar de luchthaven Heathrow? Vanuit Guildford was het toch zeker niet nodig om eerst naar Londen te reizen? Jullie hadden elkaar op het vliegveld kunnen ontmoeten.'

Het was een goeie vraag. Sam had er zelf meer dan eens over nagedacht toen hij telkens opnieuw de laatste uren die hij in gezelschap van z'n ouders had doorgebracht doorleefde.

'Ik weet niet waarom ze naar Londen zijn gekomen. Waarschijnlijk omdat mijn moeder wat langer bij me wilde zijn.'

'Neem me niet kwalijk dat ik het vraag, maar – had je een goede verstandhouding met je ouders?'

'Met mijn moeder beslist.'

'En met je vader?'

Als Bellamy met z'n werk bezig was, was hij zeker geen schertsfiguur. De vragen die hij afvuurde waren doordringend genoeg. Sam liet zich van z'n bureau glijden en liep er omheen naar het zijtafeltje waarop hij zijn sigaretten had laten liggen.

'Tja, om je de waarheid te zeggen – er *zijn* momenten geweest waarop m'n vader en ik het niet zo best met elkaar konden vinden.'

'In welk opzicht niet?'

'Hij was erg op zichzelf.'

'Datzelfde kan toch ook van jou worden gezegd?'

'Ja, dat wel – maar met hèm was het toch iets anders. Er waren perioden waarin hij –'

Sam trok een sigaret uit het pakje en stak hem in zijn mond. Zonder erbij na te denken bood hij zijn bezoeker ook een sigaret aan. Met nadrukkelijke afkeuring schudde Bellamy van nee. Hij behoorde tot het slag mensen dat zich er niet mee tevreden stelt het roken op te geven, maar daarnaast een kruistocht van stilzwijgende afkeuring begint tegen iedereen die wel voor deze beklagenswaardige gewoonte door de knieën gaat. Sam stak zijn sigaret aan, maar scharrelde intussen rond achter Bellamy's stoel, kennelijk op zoek naar een asbak.

'Er is iets dat ik je moet uitleggen, Bellamy. Dit is niet gemakkelijk voor me. Jason Harvey was mijn stiefvader. Mijn eigen vader vond de dood toen ik een jaar of twee was.'

'Maar –' Bellamy draaide zich om in zijn stoel. 'In dat geval heet je niet werkelijk Harvey?'

'Ik zal het je uitleggen. Moeder en ik bleven alleen totdat ik een jaar of acht was geworden. Toen leerde ze Jason kennen. Ik was blij voor haar, toen ze trouwden. Ik was toen al oud genoeg om te weten hoe eenzaam ze zich voelde. Een jaar later werd Meg geboren. Op dat moment ben ik mezelf Sam Harvey gaan noemen. Het bespaarde me een massa pijnlijke vragen en ik hoefde me niet langer een buitenbeentje te voelen.'

Bellamy was niet zo ongevoelig als Sam had gemeend. Na die eerste, onderzoekende blik was hij voor zich blijven kijken, in het besef dat het voor Sam inderdaad moeilijk moest zijn dit alles te vertellen.

'Later kreeg ik er spijt van. Ik vond dat ik in zekere zin mijn vader had verloochend. Daarom ben ik bij de politie gegaan, maar m'n motieven waren totaal verkeerd.'

'Ik begrijp niet waarom –' begon Bellamy, maar hij slikte de rest in.

'Mijn vader – mijn eigen vader bedoel ik – was bij de politie. Hij werd neergeschoten toen hij probeerde een stel bankrovers te beletten er vandoor te gaan.'

Dit keer draaide Bellamy zijn hoofd met een ruk om. 'Roger Kaye,' zei hij zacht. 'Overval op de Lloyds Bank in Manchester. De schoften kregen levenslang.'

Sam knikte.

'Ik begrijp 't,' zei Bellamy. Hij nam nog een slok van zijn tonic. 'Dit verklaart een massa dingen.'

'Ik heb m'n best gedaan om Jason aardig te vinden. Hoewel hij ontzettend behulpzaam en vriendelijk kon doen heb ik altijd het gevoel gehad dat er een muur tussen ons stond. Uiteraard was Meg zijn oogappel. Zelf was ik ook erg dol op haar. Dat was de enige band tussen ons. Bellamy, je houdt dit toch wel voor je, ja? Ik vertel je dit alleen voor 't geval dat je er iets aan hebt bij je onderzoek.'

'Dat zal ik doen zolang dat mogelijk is. Maar uiteindelijk zal het misschien toch uit moeten komen. Hoe stond het met je moeder? Wat vond zij er allemaal van?'

'Zij aanbad hem, werkelijk. Ik geloof niet dat er iets was dat ze niet voor hem zou hebben gedaan. "Wat goed genoeg is voor Jason is ook goed genoeg voor Hannah." Je kunt het geloven of niet, maar dat placht ze vaak tegen ons te zeggen.

'Tja, in ieder geval was je stiefvader een man die aantrekkelijk was voor vrouwen.'

'Na Megs geboorte heb ik hem altijd vader genoemd. Ik ben ook niet van plan hem opeens m'n stiefvader te gaan noemen, nu hij dood is. Heb je hem gekend?'

'Dat niet, nee. Maar toen ik dat filmpje te zien kreeg realiseerde ik me vreemd genoeg dat ik hem ergens al eens had gezien. Ik kon me alleen niet herinneren waar, totdat het me gisteravond, toen ik bezig was met m'n oefeningen, plotseling te binnen schoot. Ik heb hem in de Leopard gezien.'

'De Leopard?' herhaalde Sam stomverbaasd. 'Je bedoelt toch die club in Mayfair?'

'Precies.'

'Je moet je vergissen.'

'Nee, ik vergis me niet. Ik heb een voortreffelijk geheugen voor gezichten. Trouwens, ik heb inmiddels m'n licht opgestoken. Het was wel degelijk jouw – het wàs Jason Harvey.'

Sam liep om de leunstoel heen, zodat hij Bellamy's gezicht kon zien.

'Ik vind dit moeilijk te geloven. Wat zocht mijn vader in hemelsnaam in een dergelijke tent?'

'Nou,' zei Bellamy, 'die avond dat ik hem er zag scheen hij zich uitstekend te vermaken.'

'Was hij alleen?'

'Nee. Hij had iemand bij zich. Iemand die jij kent. Een zekere mevrouw Randell.'

Vol ongeloof schudde Sam het hoofd. 'Mijn vader was met Margaret Randell in de Leopard Club?'

'Zo is het, ja. Ze hebben er samen gegeten. Later dansten ze er ook, en als m'n geheugen me niet bedriegt speelden ze nòg later baccarat.'

'In de Leopard!' Sam drukte zijn sigaret uit in de asbak die hij in zijn hand had gehouden. 'Een club die geleid wordt door een vrouw, meen ik.'

'Katie Mellowfield, ja. De laatste van wie je verwacht zou hebben dat ze een nachtclub leidt.'

'Wat voerde jij eigenlijk in de Leopard uit?' vroeg Sam uitdagend.

'Och, ik dronk er een tonic.' Bellamy toverde een van zijn zeldzame lachjes tevoorschijn en zette zijn lege glas neer. 'Je zei dat je morgenochtend een afspraak hebt met Jasons advocaat. Hoe heette hij ook alweer?'

'George Adams.'

'En hij was bevriend met Jason Harvey. Waren ze dikke vrienden?'

'Tamelijk. Ze speelden geregeld golf, samen.'

Bellamy stond op. De kaarsrechte vouw in zijn broek was geruïneerd.

'Stel hem eens een paar vragen omtrent je stiefvader. Windt er tegenover hem geen doekjes om. Vraag hem ook naar Margaret Randell. Eens kijken wat hij te zeggen heeft. Misschien dat hij zijn licht over dat bezoek aan de Leopard Club kan laten schijnen.'

Terwijl Bellamy de gang in liep vroeg Sam als terloops: 'Ik heb Jill Foster vanmiddag gesproken.'

'Ja, dat had ik al begrepen. 't Is vreemd, weet je. Aanvankelijk had ik een hekel aan dat meisje, maar ze weet hoe ze de mensen voor zich moet innemen.'

'Had je haar al eens eerder ontmoet?'

'Eerder?' Bellamy toonde zich verrast over die vraag. 'Hoe bedoel je?'

'Nou, voordat ze jou dit geval in onderzoek gaven?'

Hij bleef staan, zijn hand uitgestrekt naar zijn regenjas aan de kapstok.

'Nee. Waarom vraag je dat?'

'Och, ik vroeg 't me alleen af, meer niet.' Op dat moment hoorde Sam de telefoon in de zitkamer rinkelen. 'Wil je me nu excuseren?'

'Allicht. Ik kom er wel uit.'

Terwijl hij de telefoon opnam hoorde Sam het ritselende geluid van Bellamy, die zijn zwarte, geïmpregneerde regenjas stond aan te trekken.

'Ja, met Harvey?'

'Dag meneer Harvey, u spreekt met Chris Morris.'

'O. Goeienavond, juffrouw Morris.'

'Mevrouw Morris,' verbeterde ze hem. 'U heeft via die verpleegster m'n boodschap gekregen?'

'Dat heb ik, ja.'

'Het spijt me dat ik er zo plotseling als een haas vandoor moest. Het was me te binnen geschoten dat ik een afspraak had in Fleet Street, op het kantoor van de krant.'

'Ik zou graag ons gesprek willen voortzetten. Schikt morgenmiddag u?'

'Morgenavond zou me beter uitkomen. Zullen we zeggen, een uur of zes?'

'Afgesproken. Aangezien u mij hebt geschaduwd neem ik aan dat u op de hoogte bent van mijn adres?'

'Ja. Maar ik zou u willen voorstellen naar mij toe te komen. Hubert, dat is m'n man, brandt van verlangen om kennis met u te maken. U zult merken dat u veel met hem gemeen hebt, meneer Harvey.'

'Goed. Mij best.' Enigszins verbaasd over haar opmerking trok hij het telefoonnotitieblok naar zich toe en pakte een pen. 'Wat is uw adres?'

'We bewonen een flat in The Boltons, aan de zuidzijde van de tuinen. Nummer achtentwintig A. We verheugen ons nu al op uw komst.'

Sam liet de pen uit zijn hand vallen. Dit was een adres dat hij zonder moeite zou kunnen onthouden.

'Bedankt voor uw telefoontje,' zei hij.

Peinzend legde hij de hoorn op de haak. Vanuit de gang

drong het geluid van een klikkend slot tot hem door, dat hem vertelde dat de voordeur zojuist zachtjes werd dichtgetrokken.

6

Enkele kilometers voor Guildford stopte Sam bij een garage die, zoals hij uit ervaring wist, een hogere korting gaf op benzine dan wie dan ook in deze omgeving. Toen de pompbediende de dop op zijn benzinetank had gedraaid verzocht Sam hem het oliepeil te controleren. De man liet hem de peilstok zien.

'D'r kan wel een half litertje bij, meneer.'

'Inderdaad,' beaamde Sam. 'Och, nu de motorkap toch open is, misschien zoudt u ook even de accu willen controleren?'

Terwijl de pompbediende het zegel van een blik olie verbrak trok Sam een doek uit het handschoenenkastje van zijn Porsche en begon de voorruit te poetsen. Op dat moment draaide er een Rolls Royce het terrein op van het pompstation, die aan de andere kant van de rij pompen tot stilstand kwam. Het was een reebruine Silver Spirit, bestuurd door een in grijze livrei gestoken chauffeur. Naast de Rolls leek de Porsche nietig.

De eigenaar van de garage haastte zich persoonlijk naar buiten om de Rolls te bedienen. Terwijl de chauffeur zijn wensen kenbaar maakte opende de passagier op de achterbank het achterportier en stapte uit, waarschijnlijk om zijn benen even te strekken. Nieuwsgierig keek Sam op, juist op tijd om te zien hoe de man zijn bril een stukje langs zijn neusbrug omhoog duwde.

'Goedemorgen, meneer Randell,' riep hij hem over het dak van zijn Porsche heen toe.

Walter Randell maakte vanmorgen een bijzonder kwieke indruk en scheen veel zelfverzekerder dan hij tijdens zijn laatste onderhoud met Sam was geweest. Misschien putte hij zelfvertrouwen uit de nabijheid van de Rolls Royce.

'Nee maar, alweer de inspecteur! Wat een verrassing! Wat voert u naar dit deel van de wereld?'

'Ik heb een afspraak in Guildford.' Sam wierp de doek op de zitting van zijn auto en liep eromheen om Randell de

121

hand te schudden.

'Ik kom er net vandaan. Ik had er namelijk ook een afspraak, ziet u.' Randell zweeg even, maar voegde er toen aan toe: 'Met mijn vrouw.'

'Hoe maakt mevrouw Randell het – of kan ik dat beter niet vragen?'

'Vraag maar gerust,' zei Randell uitnodigend en zo ironisch mogelijk. 'Alleen spijt het me te moeten zeggen dat het antwoord niet geschikt is om in druk te verschijnen. "Wat een duivelse, bedrieglijke en destructieve vrouw!" Wie heeft dat ook alweer gezegd?'

'Congreve, misschien, of Thomas Otway. Ik weet het niet precies.'

'Nou, wie het ook was, één ding is zeker: hij sloeg de spijker op z'n kop!' Hij verschoof zijn bril. 'Ik kan aan Margaret maar geen touw vastknopen, werkelijk niet. Nu eens wil ze scheiden, dan weer vertikt ze het. Het ene moment stemt ze toe in een regeling – mits er natuurlijk geen ruchtbaarheid aan wordt gegeven, omdat ze zo eenzelvig van aard is, begrijpt u – en even later dreigt ze contact op te nemen met de *News of the World*. Je reinste boulevardpers!' Sam schoot in de lach, maar Randell vertrok geen spier. 'Als u 't mij vraagt was uw vader de enige met wie ze het werkelijk goed kon vinden.'

'Stond ze op zo'n goede voet met mijn vader, meneer Randell?' vroeg Sam, ervoor zorgend dat het achteloos klonk.

'Of ze op goede voet met elkaar stonden?' Blijkbaar werd Randell door die vraag verrast. 'Och – ze konden nogal goed met elkaar overweg, dat is alles wat ik ervan weet.'

'Had ze soms een verhouding met hem?'

'Grote God, nee!' Hij dacht even na en zei toen, behoedzamer zijn woorden kiezend: 'Nou nee – ik geloof 't niet. Het is nooit bij me opgekomen. Neemt u mij niet kwalijk, maar – hoe kwam u er eigenlijk bij deze vraag te stellen?'

'Een kennis van mij heeft ze eens 's avonds samen zien dineren.'

'Best mogelijk, veronderstel ik. Maar dat betekent ongetwijfeld nog niet dat ze een verhouding met elkaar hadden.

Waar heeft die kennis van u hen dan gezien – in Guildford?'

'Nee. In Londen. Ze bevonden zich in de Leopard Club.'

'De *Leopard Club?*' De verbazing waarmee Randell die naam uitsprak deed nauwelijks onder voor die van Sam, toen Bellamy hem de club had genoemd.

'Ja. Kent u die gelegenheid?'

'Natuurlijk ken ik die! Nou, daar kijk ik van op! Ik heb uw vader maar één keer ontmoet, heel vluchtig. Maar toen zou ik nooit hebben gedacht dat hij een tent als de Leopard Club bezocht.'

'Ik al evenmin, meneer Randell.'

'Begrijp me alsjeblieft niet verkeerd.' Randell legde een hand op Sams arm. 'Er valt niets op die gelegenheid aan te merken. Zo fatsoenlijk als een dergelijke club maar kan zijn. Hij wordt geleid door een vrouw die Katie Mellowfield heet.'

'Dat was me verteld, ja.'

'Een heel bijzondere vrouw. Ze kijkt altijd naar me alsof ze tot het Leger des Heils behoort.' Randell hield zijn hoofd schuin en stond Sam peinzend op te nemen, alsof hij probeerde in de zoon de vader te herkennen. Ik vraag me af of Margaret het werkelijk met uw ouweheer had aangelegd. U begrijpt – die gedachte is zelfs nooit in me opgekomen.'

'Dat is dan dertien pond zesenzeventig, meneer,' zei de pompbediende, die naast Sam was komen staan.

Hij knikte Randell toe en draaide zich om, tastend naar zijn portefeuille.

Er was niets veranderd aan Pennymore. Het huis maakte nog altijd die wezenloze indruk. Alleen het gras van het gazon was nog wat langer geworden. De boom waaraan zijn schommel altijd had gehangen had wat bladeren laten vallen. De onophoudelijke regenval van gisteren had ieder bandenspoor van een bezoekende auto uitgewist, *als* deze al sporen mocht hebben achtergelaten.

Deze keer vond hij na het openen van de voordeur op de deurmat aan de binnenkant vier brieven. Hij raapte ze op en sloot de deur achter zich. Twee ervan waren circulaires. Een van de resterende brieven was met de hand geschreven. Sam probeerde het handschrift thuis te brengen toen de deurbel begon te rinkelen. Hij keek op zijn horloge. Het was pas vijf minuten voor half twaalf.

Het bleek Margaret Randell te zijn. Ze moest uit haar raam hebben staan kijken, anders had ze nooit zo vlug voor de deur kunnen staan. Hij merkte op dat ze lichtelijk bloosde.

'Hé, Margaret, kom binnen.'

'Ik zag je auto,' zei ze ademloos. 'Ik vroeg me af of ik misschien iets voor je kon doen?'

'Nee, dat niet, maar toch is 't erg vriendelijk van je. Ik was van plan even bij je langs te wippen, maar ik verwacht eerst om half twaalf bezoek.'

'O. Nou, in dat geval zal ik –' ze maakte aanstalten om zich om te draaien, maar Sam hield de deur nog wijder open.

'Nee, dat geeft niet. Het is een advocaat, dus tien tegen een komt-ie toch te laat. Kom alsjeblieft binnen.'

'In de zitkamer ligt nog meer post. Ik heb er gisteravond nog een paar brieven neergelegd.'

Hij ging haar voor naar de huiskamer. Op het bureau lag een keurig stapeltje correspondentie.

'Ik geloof niet dat er iets belangrijks bij is,' zei ze. 'Wil je de post graag doorgestuurd hebben? Het is voor mij een kleine moeite jouw adres er even op te schrijven.'

'Dat is heel aardig van je, maar ik wil je werkelijk geen last bezorgen. Je doet zo al meer dan genoeg voor me, door een oogje te houden op de boel hier.'

'Onzin! Ik verzeker je dat het geen moeite voor me is! Tussen haakjes, wat ga je eigenlijk met het huis doen? Heb je al iets besloten?'

Hij pakte de overige brieven op en begon ze door te lopen terwijl hij verder praatte.

'Ik denk dat ik het ga verkopen. Dat is een van de dingen die ik met George Adams wilde bespreken.'

'Wel, aan wie je het ook verkoopt, ik hoop maar dat ze even aardig blijken te zijn als jouw vader en moeder.'

'Margaret, mag ik je een heel persoonlijke vraag stellen?'

Ze knipperde wat nerveus met haar ogen, maar keek hem toen afwachtend aan.

'Ik zou niet weten waarom niet.'

'Hoe goed was jij eigenlijk met mijn vader bevriend?'

'Hoe goed ik met hem bevriend was?' vroeg ze hoofd-schuddend, op en top de fatsoenlijke, onschuldige vrouw die niet wist wat ze ervan moest denken. 'Ik geloof niet dat ik je helemaal begrijp. Wat bedoel je precies?'

'Een kennis vertelde mij dat mijn vader eens met jou is wezen dineren. Nota bene in de Leopard Club!'

In haar lach scheen echte opluchting door te klinken. 'Nou, je kunt die kennis van je – wie dat ook moge zijn – zeggen dat hij er lelijk naast zit. Het wás jouw vader niet die mij mee uit eten nam.'

'O nee?'

'De zaak ligt precies andersom. *Ik* heb jouw vader mee uit eten genomen. En voor het geval die kennis van je het in z'n hoofd mocht halen jou *zijn* lezing van het geval op te dringen, wil ik je haarfijn zeggen hoe het in elkaar zat. Je vader had een afspraak in Londen. En aangezien ik wat wilde win-kelen vroeg ik hem of hij me een lift wilde geven. Onderweg naar de stad raakten we over restaurants aan de praat en vroeg ik hem of ik hem die avond op een etentje mocht fui-ven. Hij was meer dan eens ontzettend vriendelijk voor me geweest en ik vond dit een goeie gelegenheid eens iets voor hem terug te doen.'

'En daar koos je de Leopard Club voor uit?'

Het sarcasme in zijn stem ontging haar niet.

'Inderdaad,' zei ze tartend, 'en daar had ik een uitsteken-de reden voor. Katie Mellowfield, de vrouw die deze club leidt, is toevallig een vriendin van me. Ik kwam er vroeger vaak, met Walter. Sinds we uit elkaar waren had ik Katie niet meer gezien en ik wist dat ze het heerlijk zou vinden weer eens met me te kunnen praten. Bovendien was ik zo sluw om te denken aan de mogelijkheid dat ze me het etentje misschien niet zou willen laten betalen.'

'Over je man gesproken – op weg hierheen ben ik hem tegen het lijf gelopen. Ik neem aan dat hij net bij je vandaan kwam?'

Zoals altijd als er sprake was van haar ex-echtgenoot kwam er een harde trek om haar mond. Ongedurig liep ze naar de dubbele deuren, die uitkwamen op de tuin.

'Inderdaad, hij kwam net bij me vandaan! Wat ik in hemelsnaam ooit in die man heb gezien mag Joost weten. Hij is het ongevoeligste schepsel dat ik ooit heb gekend. Hij weet donders goed dat ik het de laatste tijd tamelijk moeilijk heb, dus komt-ie me bijna een vol uur lang vertellen hoe moeilijk *hij* het wel heeft! En toen hij op het punt stond z'n hielen te lichten had hij het lef om tegen me te zeggen: "Margaret, moet je m'n nieuwe Rolls niet even zien? Hij is schitterend." O, ik had hem wel kunnen vermoorden!'

Ze draaide zich om en liep terug naar het midden van de kamer. 'Maar laten we het verder niet over die man van mij hebben. Ik heb voor één dag meer dan genoeg van Walter.'

Ergens ver weg in het huis ging een bel.

'Dat zal je bezoek zijn. Ik ga er vandoor.'

Hij vergezelde haar naar de voordeur en hield die voor haar open. Achter de Porsche was een kastanjekleurige Rover geparkeerd. De man die voor de deur stond moest een jaar of vijftig zijn. Hij had geen hoed op, maar droeg wel een zwarte overjas met fluwelen kraag. Zijn kleine, donkere snor verleende iets militairs aan zijn uiterlijk. Hij had een veelvuldig gebruikte en uitpuilende aktentas bij zich.

'Goeiemorgen Sam. M'n excuses voor het feit dat ik zo laat ben. Werkelijk, het spijt me.'

'Dag George! Kom binnen.'

'Ik had dat laatste telefoontje niet moeten aannemen. Een grote vergissing. Dat is het trouwens altijd.'

Adams scherpe ogen taxeerden haastig Margaret Randell, die opzij was gestapt om hem door te laten.

'Ik weet eigenlijk niet of je mevrouw Randell kent?' vroeg Sam.

'Nee, ik heb het genoegen nog niet gehad.'

Adams maakte een formeel buiginkje terwijl Margaret hem een beleefde glimlach toonde.

'Loop maar door, George.' Sam knikte naar de huiskamer. 'Ik ben zo bij je.'

Adams knikte Margaret toe en slaagde erin de indruk te wekken dat hij wenste dat de ontmoeting langer had geduurd. Ze maakte geen aanstalten te vertrekken voordat de advocaat naar binnen was gegaan.

Toen vroeg ze: 'Hoe gaat het met dat meisje? Je weet wel, dat meisje over wie we het door de telefoon hebben gehad –'

'Jill Foster? Een stuk beter. Ik denk dat ze over een weekje wel weer het ziekenhuis uit zal mogen.'

'Ik vraag je dat omdat ik de foto in de krant nog eens goed heb bekeken. Zij is het meisje dat ik heb gezien, dat weet ik nu vrijwel zeker.'

'Je bedoelt dat meisje met die kleine jongen?'

'Ja. Zij bestuurde die auto.' Ze draaide zich om en wilde de twee treden voor de deur van het huis afdalen. 'Misschien zou je het leuk vinden om straks nog even aan te wippen voor een drankje?'

'Graag. Ik zal het zeker doen als ik er de tijd voor heb.'

In de huiskamer staarde Adams naar een op het bureau staande foto van Jason en Hannah Harvey. Zijn gezicht stond oprecht bedroefd, toen Sam de kamer binnenkwam.

'Hoe gaat het met je, Sam?' vroeg hij, oprecht bezorgd.

'Redelijk, George, de omstandigheden in aanmerking genomen.'

'Je hebt m'n brief ontvangen, neem ik aan?'

'Ja. Heel aardig van je. Bedankt voor je meeleven.'

'Ik kan je niet zeggen hoe erg ik Jason mis. We hebben elkaar de laatste paar jaar wel niet zo vreselijk vaak gezien, maar toch –'

'Wanneer heb je hem voor 't laatst gesproken?'

'Eigenaardig genoeg één week voor de –' Adams brak z'n zin af, zoekend naar een toepasselijk woord. Hij kwam tot de conclusie dat je sommige dingen beter onuitgesproken kunt laten. 'Hij kwam op een middag heel onverwachts bij me op kantoor en gaf me een enveloppe in bewaring. Feitelijk is dat één van de redenen waarom ik hier ben.' De jurist zette zijn leren aktentas op de bank en maakte de kleine sloten open. 'Sam, ik moet me al heel erg vergissen als jij niet ontzettend verrast zult worden door dat wat ik je vanmorgen kom vertellen.'

'Verrast? In welke opzicht?'

'Hoeveel was je vader waard, dacht je?'

'Dat is binnen vierentwintig uur nu al de tweede keer dat

me die vraag wordt gesteld.'

'Is 't werkelijk?' Adams diepte een enveloppe uit zijn tas op en rechtte zijn rug. 'Wie stelde jou die vraag? En wat heb je erop geantwoord?'

'Een collega van me vroeg het. Ik heb gezegd dat m'n vader waarschijnlijk zo'n twintigduizend pond zou nalaten, afgezien van het huis dan.'

'Je zit er mijlenver naast,' zei Adams zachtjes. Hij liet een stilte vallen om meer effect te kunnen sorteren. 'Je vaders nalatenschap heeft een waarde van ruim een half miljoen pond.'

'Een half miljoen?' Bert Sinclair herhaalde wat Sam hem zojuist had verteld. 'Je bedoelt toch wel een half miljoen pond sterling?'

'Dat werd me gezegd, ja.'

'Ik sta versteld. Ik zou geen moment hebben gedacht dat je vader – Was je erg verbaasd?'

'Dat is nog zacht uitgedrukt.'

Bert Sinclair had Sam voorgesteld dat ze elkaar zouden ontmoeten in een koffiehuis in de naaste omgeving van het warenhuis Harrods, waar ze voortreffelijk gebak serveerden. De hoofdinspecteur was nogal een zoetekauw en had vooral een zwak voor chocolade en mokkapunten. In weerwil van zijn aanmerkelijk zwaardere postuur zag hij er een stuk gezonder uit dan Bellamy. De beide mannen hadden een rustig tafeltje achterin de zaak gevonden. Het was het tijdstip waarop de Engelsen de thee plegen te gebruiken, zodat de zaak in hoog tempo gevuld raakte met vrouwen die vrijwel allemaal de duidelijk herkenbare groene plastic tassen van Harrods met zich mee sleepten.

Bert keek waarderend toe hoe de serveerster een dienblad op hun tafeltje neerzette. Er stond een bord met een stuk of zes romige taartjes op. Terwijl Sam de beide koppen vol schonk ontfermde Bert zich alvast over een mokkapunt en zette er zijn tanden in.

'Ik neem aan dat die Adams weet waarover hij praat?' zei hij, na een poosje zwijgend te hebben gekauwd.

'Reken maar. Hij is niet alleen een uitstekend advocaat,

maar was bovendien een goeie vriend van m'n vader. Suiker, Bert?'

'Graag. Vier klontjes alsjeblieft. Verbeter me maar als ik het mis heb. Jouw vader werkte toch voor een verzekeringsmaatschappij?'

'Dat is juist. World Wide Benefits.'

'Heb je enig idee wat hij daar verdiende?'

'Toen hij met pensioen ging bedroeg zijn jaarsalaris zo'n negenduizend pond.'

'Hoe heeft-ie dan in godsnaam kans gezien een half miljoen bij elkaar te krijgen?'

Sam haalde zijn schouders op.

Bert veegde zijn mond af en nam een slok thee. 'Weet die advocaat hoe?'

'Hij had ook geen flauw benul. Hij was zelf met stomheid geslagen toen hij erachter kwam hoe groot de nalatenschap wel was.'

'Wanneer had hij Jason voor 't laatst gezien?'

'Ongeveer een week voor de moord. Naar het schijnt kwam mijn vader onverwachts bij hem op kantoor. Hij had een verzegelde enveloppe bij zich en wilde dat Adams die voor hem zou bewaren.'

'Weet je ook wat er in die enveloppe zat?'

'Ja.'

Een van de aantrekkelijke hoedanigheden van het koffiehuis was dat de tafeltjes in kleine séparé's waren opgesteld, van elkaar gescheiden door schotten ter hoogte van circa een meter twintig. Sam wierp een blik over de scheidingswand achter zijn rug. Aan het volgende tafeltje zaten drie dames geanimeerd te praten over de gewenste roklengte. Na zich ervan overtuigd te hebben dat niemand bijzondere belangstelling voor hem en Bert aan de dag legde, haalde hij een notitieboekje uit zijn zak, gebonden in leer. Hij schoof het Bert over het tafeltje toe. Deze bewerkte zijn vingers met het papieren servet, voordat hij het boekje opende en langzaam begon te bladeren. Iedere bladzijde was volgeschreven met een onbegrijpelijke massa letters en cijfers.

'Wat betekent dat allemaal?'

'Dat wil ik graag van jou horen.'

'Is dit het handschrift van je vader?'

'Ja. Ik veronderstel dat het een soort code is, maar ik kan er geen kop of staart aan ontdekken.'

Bert boog zich wat dichter over het notitieboekje.

'Nou, als het een code is lijkt het me 't beste om onze magiër Osgood er eens naar te laten kijken. Als *hij* er geen touw aan kan vastknopen kan niemand dat. Bezwaar als ik het meeneem naar de Yard?'

Zonder op antwoord te wachten klapte Bert het hoekje dicht en liet het in zijn zak verdwijnen. Daarna wijdde hij zich weer aan de mokkapunt.

'Was die enveloppe aan jou geadresseerd?'

'Nee, aan niemand. Alleen de initialen van m'n vader stonden erop.'

'Ik neem aan dat je vader deze advocaat niet heeft verteld wat er in zat?'

'Nee.'

Met beide handen bracht Sam de kop thee naar zijn lippen. Hij had zich niet door de romige taartjes laten verlokken, en keek hoe Bert een tweede mokkapunt met vier stevige happen wegwerkte. De hoofdinspecteur keek op en grijnsde als een ondeugende kwajongen.

'Weet je wat ik denk, Bert?' zei Sam. 'Dat dit boekje de reden was waarom mijn appartement is doorzocht. Volgens mij hebben ze naar dat notitieboekje gezocht.'

'Heel goed mogelijk, Sam.' Zo te zien leverde Bert een verwoede strijd met zijn geweten. Het geweten trok aan het kortste eind. Hij stak zijn hand uit naar een derde mokkapunt.

Het huis op het adres 28 A The Boltons was een voornaam herenhuis. Een trapje van zes treden leidde naar de stijlvolle voordeur. Zoals vrijwel ieder ander herenhuis in deze buurt was het opgesplitst in appartementen. Sam ontdekte deze keer geen intercom tussen de voordeur en de afzonderlijke appartementen. Hij was nog op zoek naar een aanwijzing voor de verdieping waarop hij het echtpaar Morris zou kunnen vinden, toen de zware, zwartgelakte deur door een jonge man werd geopend.

'Meneer Harvey? Ik ben Hubert Morris. Ik zag u door het raam aankomen. Komt u binnen.'

Hij scheen buiten adem te zijn, misschien doordat hij de trap was komen afhollen. Hij leek nog tamelijk jong om de echtgenoot van de blonde verslaggeefster te kunnen zijn. Hij maakte een levendige, maar kwetsbare indruk en had lichtelijk uitpuilende ogen. Hij droeg een pak van gekeperde blauwe stof, met onder zijn openstaande kraag een scharlakenrode halsdoek die eruitzag als een lapje stof dat zijn vrouw had overgehouden van een japon.

Hij pakte Sams arm beet en leidde hem de betegelde vestibule in. Een brede trap met fraai bewerkte houten leuning spiraalde naar boven. Er was geen lift.

'Wij wonen boven, op de eerste verdieping.' Hubert Morris bleef Sam met een geheimzinnige glimlach aangapen. Sam begon zich af te vragen of ze elkaar misschien al eens zouden hebben ontmoet, zodat Hubert nu wachtte op het moment waarop hij hem zou herkennen.

Hij wipte met twee treden tegelijk de trap op, Sam ver achter zich latend, en bleef bij de open deur van zijn appartement staan wachten tot Sam hem had ingehaald.

'Chris is weg, maar ze zal zo wel terug zijn,' ratelde hij verder, terwijl Sam binnenstapte. 'Ik verwacht haar ieder moment. Zeg me maar wat u graag wilt drinken. Zolang het tenminste geen Scotch is, want dat hebben we niet in huis.'

Sam was blijven staan en keek de grote woonkamer rond. De voorzijde keek uit op het noorden en was met hoge ramen uitgevoerd, zonder gordijnen ervoor. Het appartement ademde een voorname, doelbewuste ordeloosheid die op een vreemde manier gezellig was.

'Eh –'

'Bier? Of gin-tonic? Of gin-tonic, of bier?'

'Gin-tonic, graag.'

'Prachtig. Dat zal wel gaan, hoop ik. Ben in een wip weer bij u. Val maar ergens neer.'

Geamuseerd zag Sam hem als een balletdanser naar een deur dartelen en erdoor verdwijnen. Nergens in de kamer stond een stoel die niet beladen was met boeken. In de verste hoek stond een schildersezel met een voorgespannen doek erop. Op een secretaire-achtig meubel lagen de penselen, verf en andere benodigdheden van de kunstenaar. Rond een tafeltje waren stapeltjes boeken neergezet, bij wijze van krukjes. Aan de muren hing een interessante collectie steendrukken, etsen en oorspronkelijke schetsen. Sam stond ze op zijn gemak te bekijken toen Hubert zijn hoofd om de deurpost stak.

'IJs?'

'Eh – graag.'

'Schijfje citroen?'

'Als u 't toch in huis hebt?'

'Goeie opmerking!' Hubert priemde een wijsvinger in Sams richting en verdween weer.

Terwijl hij zijn rondgang voortzette hoorde hij Hubert als een razende naar een citroen speuren. Hij was de kamer bijna helemaal rond geweest voor zijn gastheer terugkeerde met twee glazen, balancerend op een afgedankt schaakbord.

'Heeft u die gemaakt?' Sam wuifde in de richting van de schetsen en litho's.

'Alleen de goeie,' grijnsde hij en reikte Sam een glas aan.

'Dank u. Ik vond ze geen van alle slecht, hoewel ik geen deskundige ben.'

'Maar u weet wel wat u mooi vindt.'

Sam vroeg zich af of Hubert sarcastisch probeerde te zijn door dat afgezaagde cliché te gebruiken. Hij wierp zijn gastheer een onderzoekende blik toe. Hubert grinnikte en hief het glas.

'Proost!'

'Gezondheid!' Sam nam een slok en keek toen onwillekeurig naar zijn glas.

'Ik ben bang dat 't wodka is. De gin was op,' legde Hubert uit. Hij pakte opnieuw Sams arm en leidde hem naar de verste hoek van de kamer, achter de schildersezel.

'Kom maar eens mee, dan zal ik u mijn persoonlijke favoriet laten zien. Ik weet zeker dat het u zal aanstaan.'

Braaf liet Sam zich meetrekken naar de ezel. Aan de muur erachter hing een groot aquarel. Het was voorzien van een sierlijke lijst. Sam herkende het ogenblikkelijk. Met een verwachtingsvolle glimlach stond Hubert hem op te nemen.

'Hebt u dit gemaakt?' vroeg Sam.

Hubert knikte. Zijn lach werd al breder. 'Ja, dit is het origineel. Ik hoop dat u mijn omslag even mooi vond als ik uw boek.'

'Zonder meer. Ik heb de uitgever zelfs geschreven hoezeer ik ermee ingenomen was. Hoe bent u erachter gekomen dat *ik* de schrijver was?'

'Ik was al bang dat u me die vraag zou stellen. Ik was op zekere morgen op het kantoor van de uitgever om een bezoek bij de redactie te brengen, toen u opbelde. Scofield deed zo verdomd geheimzinnig – hij stond erop het telefoontje in de andere kamer aan te nemen – dat ik nieuwsgierig werd. Ik vertelde het mijn vrouw die hier en daar haar licht heeft opgestoken. Chris heeft vier jaar lang voor de *Chicago Tribune* gewerkt, en daar heeft ze wel geleerd hoe ze iets aan de weet kan komen.'

'Dat heb ik gemerkt.'

De twee mannen wisselden een glimlach uit.

'Was *Een etentje in de dierentuin* uw eerste boek?'

'Dat niet. Maar wel was het het eerste waarvan ik het manuscript niet heb verscheurd.'

Na een laatste liefdevolle blik naar zijn aquarel liep Hubert terug naar het midden van de kamer, een boog makend om een opengeslagen map vol tekeningen die op de vloer was blijven liggen.

'Hoe u er in hemelsnaam in bent geslaagd een dergelijk boek te schrijven terwijl u nog bij de politie was, zal ik wel nooit begrijpen.'

'Bij de politie *was*?' zei Sam vlug.

'Ja. Neemt u me niet kwalijk, maar – is 't niet zo dat u weggaat bij Scotland Yard om voortaan al uw tijd aan schrijven te besteden?'

'U schijnt goed op de hoogte te zijn, meneer Morris.'

'Ik niet, hoor! Mijn vrouw. Maar u bent niet hierheen gekomen om over uzelf te praten, daar ben ik van overtuigd. Neemt u mij dus niet kwalijk.' Hij liep naar het raam en staarde omlaag, naar de straat. Sams Porsche stond vrijwel recht tegenover het huis geparkeerd. 'Ik heb van Chris begrepen dat u belangstelling hebt voor Jill Foster?'

'Ik stel veel belang in haar doen en laten, ja.'

'Een bijzonder meisje. Ik had die schoft van een Ross of Voss dolgraag van een bas in een sopraan veranderd.'

'In welk opzicht is Jill Foster zo bijzonder? vroeg Sam, verrast door Huberts venijnige toespeling op castratie.

'Nou, om te beginnen heeft ze mij 't leven gered.'

'Letterlijk – bedoelt u?'

Hubert knikte, nog altijd naar buiten starend.

'Letterlijk. Een paar maanden terug hadden Chris en ik plotseling besloten om –' Plotseling zweeg hij en werd zijn manier van doen een stuk opgewekter, evenals de klank van zijn stem. 'Ah, daar komt Chris al aan. Ze zal u er alles over vertellen.'

Sam kwam naast hem staan om eveneens naar buiten te kijken. Een meter of twintig verderop was er in een open plek langs de stoep een vuurrode Metro geparkeerd. Hij zag Chris Morris achter het stuur vandaan komen, nog altijd in haar lichtbruine leren jas. Vlug liep ze om naar de andere kant van de auto, om iemand te helpen met uitstappen en ervoor te zorgen dat hij niet werd aangereden door langsrijdende auto's. Sam zag een jongen van een jaar of twaalf te voorschijn komen. Hij droeg een schooluniform en een leren schooltas, die op de rug werd gedragen. Chris smeet het portier dicht en trok hem zorgzaam mee naar de stoep.

Toen het tweetal de stoep had bereikt en naar het trapje voor nummer 28 A begon te lopen ontdekte hij de reden voor haar bezorgdheid. De jongen liep duidelijk mank.

7

Toen Chris Morris de kamer binnenstapte was ze alleen. Ze had haar leren jas uitgetrokken en haar sjaal afgedaan. Ze droeg een lichtblauw mantelpakje. Een brede ceintuur accentueerde de slankheid van haar figuur.

'M'n verontschuldigingen dat we u hebben laten wachten, meneer Harvey. We hebben ons toneelstuk op school gerepeteerd.'

Hubert kreeg een kus op beide wangen.

'Hoe waren de vorderingen, liefje?' vroeg hij haar.

'Tja, Jonathan zal op z'n zachtst gezegd een hoogst ongebruikelijke Jago worden. Ga hem maar even gedag zeggen, Hubert. Hij brandt van verlangen om je er alles over te vertellen.'

Terwijl Hubert de kamer verliet bekeek ze vluchtig haar spiegelbeeld en streek een haarlok weg.

'Ik heb zojuist het werk van uw man bewonderd,' zei Sam.

'Ik hoop dat het u aanstond. Ik moet u bekennen dat ik hem ontzettend goed vind, maar ik ben nu eenmaal bevooroordeeld. Hoe vond u de omslag van uw boek?'

'Voortreffelijk.' Hij wachtte tot ze zich had omgedraaid, voor hij vroeg: 'Was dat de reden waarom u mij schaduwde – omdat u nieuwsgierig was geworden door m'n boek?'

Ze schoot in de lach. 'Allicht intrigeerde het me, toen Hubert mij vertelde dat hij dacht dat u het had geschreven. Een inspecteur van Scotland Yard die een uitstekend verkocht kinderboek schreef! Nee, ik hield om een heel andere reden een oogje op u. Mijn redacteur had bij geruchte vernomen dat u wegging bij Scotland Yard. En hij vroeg me eens na te gaan of uw ontslagname soms verband hield met – bepaalde recente gebeurtenissen.'

'Mijn ontslag heeft niets te maken met de dood van mijn ouders. Ik had mijn ontslagaanvrage al ingestuurd voor dat gebeurde, omdat ik meer tijd wilde hebben om te kunnen schrijven.'

'Ik begrijp het.' Ze trok de ritssluiting van een zijzak in

haar jasje open en haalde er een pakje sigaretten uit. 'Waarom werden uw ouders vermoord, meneer Harvey?'

'Waarom stelt u die vraag niet aan uw vriendin Jill Foster?'

'Hèb ik gedaan.'

'En wat heeft ze erop geantwoord?'

'Dat ze van die hele affaire niets afwist. Ze zegt dat ze alleen uw ouders bij Waterloo Station heeft opgehaald om hen naar het vliegveld te rijden.'

'Dat is niet waar.' Hij schudde het hoofd toen ze hem het pakje sigaretten voorhield. 'Ze is diezelfde dag teruggegaan naar London Airport om mijn vader en moeder een tweede keer op te halen.'

'Dat weet u zeker?'

'Absoluut zeker.'

'Waar heeft ze hen dan naartoe gebracht?'

'Naar een huis ergens buiten Londen.'

'Waar stond dat huis?'

'Ik wou dat ik dàt wist. Ze vertikt het om 't me te zeggen.' Hij keek hoe ze haar sigaret in een pijpje duwde en hem aanstak. 'Mevrouw Morris, hoe lang hebt u Jill Foster al gekend?'

'Een half jaar, ongeveer. We leerden elkaar onder hoogst ongebruikelijke omstandigheden kennen. Laat op de avond, tijdens een verschrikkelijke storm.'

'En bij die gelegenheid heeft ze uw man het leven gered?'

'Heeft Hubert u dat al verteld?'

'Niet hoe dat precies in z'n werk is gegaan.'

'Ik ben bang dat het nogal een lang verhaal is –'

Hubert was weer teruggekomen in de kamer. Ze wisselden een blik vol ouderlijke trots uit, een blik die de indruk wekte dat ze samen een kostbaar geheim deelden.

'Vertel jij 't hem maar, liefje.'

Hubert had geen tweede aanmoediging nodig. Sam vermoedde dat wat hij nu te horen ging krijgen een dikwijls verteld verhaal was.

'We hebben 't er samen al een tijdje over om een huisje te kopen. Iets waarin we gezellig de weekeinden kunnen doorbrengen. We hebben al het een en ander bekeken, maar tot dusverre zonder veel geluk. Zo reden we een maand of zes terug eens naar een plaatsje in het graafschap Oxfordshire. Het bewuste huis heette –'

Hubert keek zijn vrouw vragend aan. Ze had een van de stoelen ontdaan van de boeken die erop lagen en zat behaaglijk onderuit.

'Daylight Cottage.'

'Ja, zo heette het. Daylight Cottage. De makelaar waarschuwde ons dat het nogal afgelegen stond en dat we het vermoedelijk moeilijk zouden kunnen vinden. Hoe dan ook, we werden – om een lang verhaal kort te maken – overvallen door een verschrikkelijke storm. We reden over een landweg, toen de auto opeens begon te slippen, tegen een boom knalde en over de kop sloeg. Chris en Jonathan zagen tenslotte kans zichzelf uit het wrak te bevrijden, maar ik kon me niet verroeren. Ik zat klem – tegen de grond gedrukt door de auto.'

Hij laste een dramatische pauze in. Hoe onaangenaam de ervaring destijds ook mocht zijn geweest, kennelijk putte hij er nu een grote bevrediging uit. Chris nam het van hem over.

'Jonathan, de arme schat, had zijn voet bezeerd en kon zich nauwelijks verplaatsen. Ik stond al op het punt hem bij zijn vader achter te laten om hulp te gaan halen, toen ik een auto hoorde aankomen. In die auto zat een meisje. Later ontdekten we dat ze Jill Foster heette.'

'Ze was geweldig, werkelijk geweldig,' vulde Hubert aan. 'Binnen het uur waren we afgeleverd in het plaatselijke ziekenhuis.'

'Waar gebeurde dat ongeluk precies, meneer Morris?'

'Ik meen er niet ver vanaf te zijn als ik zeg dat het dichtstbijzijnde dorpje Heldon Cross heette. De betreffende landweg had een typische naam. Penny Lane, of zoiets –'

'Penny Buckle Lane,' om precies te zijn,' zei Chris.

'Dus gelukkig kwam Jill Foster langs,' merkte Sam op. 'Ik neem aan dat u daarna heel goede vrienden met haar bent gebleven?'

'Tja, ik weet eigenlijk niet of je het wel zo zou kunnen noemen –'

In het gewoonlijk gladde voorhoofd van Hubert Morris

verscheen een lichte rimpel. Hij ontdekte een asbak en zette die op de armleuning van Chris' stoel, voor hij Sam weer aankeek.

'Om eerlijk te zijn, meneer Harvey, bevonden we ons na dat ongeluk in een nogal vervelende situatie. We hadden veel aan Jill te danken, maar verdorie, hoe beter we het meisje leerden kennen, hoe minder ze ons aanstond.'

'Nu geloof ik toch dat je wat al te onvriendelijk bent, Hubert,' kwam Chris voorzichtig tussenbeide. 'Het is een eigenaardig meisje, in meer dan één opzicht, bedoel je.'

'Ja, Chris, ik besef dat het ondankbaar moet klinken. En ik zou dit voor geen goud tegen iemand anders hebben gezegd, maar ik wil dat meneer Harvey de waarheid weet.'

'Waarom mag u haar niet, meneer Morris?'

'O jè, ik was al bang dat u dat zou gaan vragen!' Hubert wierp Chris een blik toe, misschien omdat hij stilzwijgend haar goedkeuring hoopte te krijgen voor wat hij wilde gaan zeggen. 'Ik weet niet waarom dat zo is, maar het lijkt wel of ze zich voortdurend moeilijkheden op de hals haalt. En dan – ik vind het erg dat ik dit moet zeggen – de *mensen* waarmee ze omgaat! Die zogenaamde vrienden van haar! Afschuwelijke lui!'

'Nou overdrijf je toch een beetje, schat.'

Uit een aangrenzende kamer kwam opeens het daverende geluid van een op volle sterkte gedraaide radio of cassettespeler. Het was een nummer dat kortgeleden hoog op de hitlijst had gestaan. Hubert was al onderweg naar de deur om zijn zoon te gaan zeggen dat hij het ding zachter moest draaien, toen het geluid werd weggedraaid. De vader en moeder wisselden een glimlach uit, alsof ze zichzelf feliciteerden met hun opvoeding, en Hubert keerde op zijn schreden terug.

'Heeft u veel van Jills vrienden leren kennen?' vroeg Sam.

'Ik denk dat we ze lang niet allemaal hebben ontmoet.' Het was Hubert die deze vraag beantwoordde. 'In ieder geval genoeg om ons een oordeel te kunnen vormen.'

'Weet u toevallig of ze bevriend is met een zekere Walter Randell?'

Het lag er duimendik bovenop dat die naam Hubert niets

te zeggen had. Hij keek Chris aan.

'Ik kan me niet voorstellen dat er ook maar iemand bevriend is met Randell,' zei ze droogjes.

'U kent hem dus?'

'Ik heb dat heerschap inderdaad ontmoet – éen keer. In bijzijn van mijn advocaat.'

'Chris heeft Randells naam eens laten vallen in een van haar artikelen. Hij dreigde haar een proces aan te doen,' legde Hubert uit. 'Over Jills vrienden gesproken – verreweg de grootste hekel heb ik aan een knaap die Morgan heet. Phil Morgan. Bent u die al eens tegen het lijf gelopen?'

'Hoe ziet hij eruit?'

'Kort en gedrongen, met een gitzwarte baard. Een soort ruwe diamant, om te zien. Vreemd genoeg heeft hij een heel welluidende stem.'

'Wat doet-ie voor de kost?'

'Geen idee. Maar ik wil erom wedden dat het iets is in de geest van Bonnie en Clyde.' Chris moest erom lachen.

'Zegt u mij eens,' hernam Sam, 'heeft Jill u ooit voorgesteld aan iemand die Hogarth heette?'

'Hogarth? Nee.'

'Gek genoeg heb *ik* die naam wel eens horen noemen,' zei Chris. 'Jill en ik gingen een dag of tien geleden samen lunchen. En toen we het restaurant binnenstapten zei een van de kelners daar dat er telefoon voor haar was geweest – dat er iemand van die naam had gebeld. Ja, ik weet zeker dat hij de naam Hogarth noemde.'

'Hoe reageerde Jill daarop?'

'Ze bedankte hem. Meer niet. Volgens mij was ze enigszins verbaasd.'

Sam knikte en raadpleegde met een veelzeggend gebaar zijn horloge. Hij dronk zijn glas leeg en zette het op een van de stapeltjes boeken. Chris drukte haar sigaret uit en stond op.

'Weet u zeker dat u er niet nòg eentje wilt?' vroeg Hubert zonder al te veel overtuiging.

'Heel zeker. Niettemin bedankt voor het aanbod.'

Hoewel ze erg beleefd tegen hem deden was Sam ervan overtuigd dat ze ternauwernood konden wachten op zijn

139

vertrek, zodat ze met elkaar van gedachten konden wisselen over Jonathans Shakespeare-vertolking. Het onverwachte geblèr van de popmuziek had hen herinnerd aan het bestaan van hun zoon, die hun aandacht opeiste.

Toen Hubert de deur opende en ze gezamenlijk de gang in liepen, zei Chris: 'Meneer Harvey, ik weet niet of m'n man het al tegen u heeft gezegd of niet, maar ik zou dolgraag een artikeltje willen schrijven over u en uw boek. Hubert wil er een illustratie bij maken. Ik beloof u dat u het te lezen krijgt voordat het in de krant komt.'

'Heel vriendelijk van u, en ik stel het op prijs. Maar op dit moment –' Sam aarzelde. De publiciteit kon erg van pas komen. 'Mag ik er nog even over nadenken, mevrouw Morris?'

'Doet u dat gerust,' zei ze.

'Intussen zou ik u echter dankbaar zijn als u – in verband met het boek, bedoel ik – mijn naam er nog even buiten liet.'

'Vanzelfsprekend, als u daar prijs op stelt.'

De popmuziek die vanuit een kamer, waarvan de deur gesloten was, tot de gang doordrong, was hier veel duidelijker hoorbaar dan in de huiskamer.

'Mevrouw Morris,' zei Sam, 'vergeef me dat ik u ernaar vraag, maar ik heb opgemerkt dat uw zoon hinkte. Is dat een gevolg van het ongeluk met de auto?'

'Inderdaad.'

'Ik ben bang dat hij voorgoed mank zal blijven,' legde Hubert uit. Voor één keer vermeed hij de blik van zijn vrouw. 'Maar niettemin loopt hij al een stuk beter dan eerst.'

'Heeft hij na dat ongeluk Jill Foster nog ontmoet?'

'Jonathan?' Chris leek werkelijk verbaasd over deze vraag.

'Ja.'

'Hij heeft haar inderdaad nog gezien. Dat was op de avond dat ze die afschuwelijke Phil Morgan meebracht, toen we haar te eten hadden gevraagd.'

'Ik bedoelde eigenlijk – heeft ze hem wel eens mee genomen, ergens naartoe? Misschien heeft ze hem eens gefuifd op een bioscoopje, of zo?'

'Nee, nooit.'

Chris schudde nadrukkelijk het hoofd. Hubert liet de

knop van de voordeur weer los. 'Meneer Harvey, speelt u alstublieft open kaart met ons. Wat wilt u nu eigenlijk weten in verband met Jonathan?'

Sam keek hem recht in de ogen en legde zijn troef open op tafel.

'Ik zou graag willen weten of Jill Foster hem eens heeft meegenomen naar Guildford.'

'Jonathan?' Hubert toonde zich geschokt door die vraag. 'Welnee!'

'Natuurlijk niet!' riep Chris uit. 'Hoe komt u in godsnaam op die gedachte?'

'Daar bent u zeker van?'

'Allicht weten we dat zeker!' Ze staarden hem allebei verbijsterd en een tikkeltje boos aan. 'Waarom zou Jill onze zoon mee moeten nemen naar Guildford?'

'Wel, u hebt mijn vraag beantwoord. Ik dank u.'

In zijn flat zette Sam een potje thee en stopte een bandje met pianomuziek in zijn cassettespeler. De ervaring had hem geleerd dat hij hierdoor vaak in de juiste stemming om te schrijven werd gebracht, en hij had zich voorgenomen nog een paar uurtjes te zullen werken alvorens in een Italiaans restaurantje om de hoek te gaan eten.

Maar zelfs toen hij eenmaal achter zijn bureau zat vond hij het moeilijk alle gecompliceerde aspecten van de zaak Marius of Rye uit z'n hoofd te zetten en zich te concentreren op *Een ontbijt in de dierentuin*. Zo ongeveer als iemand die volkomen uitgeput is en zelf niet zou kunnen zeggen wanneer hij nu precies in slaap is gevallen, glipte hij zonder het te beseffen vanuit de werkelijke wereld over naar het dierenrijk, dat zo levendig en reëel voor hem was geworden.

Het rinkelen van de telefoon liet hem pardoes terugvallen in de realiteit. Tot zijn verbazing was het buiten al donker, zoals hij door de ramen kon zien. De klok boven de open haard vertelde hem dat er twee uur verstreken was. Opeens merkte hij dat hij honger had.

Zich ergerend aan het feit dat de telefoon zijn stemming wreed had verstoord liet hij zijn stoel ronddraaien en stak zijn hand uit naar de grijze tiran.

'Meneer Harvey?'

'Spreekt u mee.'

'Met dokter Majdoeli, van het St. Matthew Ziekenhuis.'

'O, goedenavond, dokter!' zei Sam, onmiddellijk geïnteresseerd.

'Meneer Harvey, ik meen dat u me te kennen had gegeven dat ik contact met u moest opnemen zodra juffrouw Foster naar u vroeg.'

'Dat heb ik inderdaad, ja.'

'Tja, ik begreep van de verpleegster dat juffrouw Foster u graag over het een of ander zou willen spreken. Het zou om een dringende kwestie gaan.'

Sam had zijn stoel al achteruit geschoven en stond op.

'Zeg haar dat ik er binnen 't kwartier ben! En nog bedankt voor uw telefoontje, dokter.'

Hij liet de hoorn op het toestel terugvallen en griste zijn jas van de stoel waarover hij het kledingstuk had geworpen, toen hij binnenkwam. Hij pakte zijn portefeuille en sleutels van zijn bureau en stak ze in zijn zak. Haastig deed hij de ronde door de flat, om zich ervan te overtuigen dat alle ramen gesloten waren, vooral in zijn slaapkamer – waarvan de deur uitkwam op de brandtrap. Ook trok hij de gordijnen in de huiskamer dicht. Hij knipte de lichten uit en liep naar de gang. Hij had zijn jas al aan en wilde juist de voordeur openen, toen hij een ogenblik aarzelend bleef staan. Toen sloot hij de deur weer en liep terug naar de zitkamer.

Hij kende het nummer van het ziekenhuis uit z'n hoofd, maar het kostte hem verscheidene minuten en heel wat overredingskracht voor hij eindelijk de telefoniste zover had dat ze hem doorverbond met dr. Majdoeli.

'Dokter, nog even met Sam Harvey.'

'Ja, meneer Harvey?' zei de Indiër, even hoffelijk als altijd. 'Wat kan ik voor u doen?'

'Ik val u niet graag lastig, maar vroeg me af of u zo vriendelijk zou willen zijn me eerst wat inlichtingen te verstrekken voor ik naar het ziekenhuis vertrek?'

'Wat wilde u weten?'

'Heeft juffrouw Foster vanavond nog bezoek gehad?'

'Meneer Brewster is vandaag weer bij haar geweest.' De

stem van dr. Majdoeli klonk geamuseerd. 'Kennelijk wilde hij nog meer bloemen komen brengen.'

'Is er verder nog iemand bij haar geweest?'

'Ja. Er was een uurtje geleden nog een andere heer bij haar.'

'U heeft die meneer gezien?'

'Ik heb zelfs met hem gesproken. Ik zei hem dat hij niet te lang kon blijven, want juffrouw Foster had over hoofdpijn geklaagd. Het was een gedrongen, kleine man met een baard. Ik vrees dat z'n naam me is ontschoten.'

'Bedankt, dokter.'

Zoëven nog waren Sams bewegingen gehaast en impulsief geweest, maar nu getuigde alles dat hij deed van kalm overleg. Hij liep naar de keuken, hurkte neer voor de zogenaamde vaatwasmachine, opende het cijferslot van de erin verborgen safe en nam zijn revolver eruit. Werktuigelijk controleerde hij of er zes kogels in de kamers zaten en of de veiligheidspal in de juiste stand stond. Hij sloot de kleine brandkast en het deurtje van de 'vaatwasser', stond op en liet de revolver in zijn jaszak glijden.

In de zitkamer liep hij opnieuw naar het telefoontoestel, draaide het nummer van een taxicentrale en noemde z'n adres.

Hij maakte nu meer haast, toen hij z'n flat verliet en vlug de trap afdaalde. Het was een heldere, droge nacht en boven de daken van de huizen probeerden de sterren dapper het schijnsel van nachtelijk Londen te doorboren. Sam liep naar de stoeprand en begon zorgelijk het plein af te speuren.

Alle plaatsjes op de parkeerstrook voor de bewoners van zijn flat waren bezet. Bovendien stonden er een stuk of zes auto's langs de gele stoeprand aan de overkant van de rijweg. Dankzij het licht van de straatlantaarns aan weerskanten van het plein kon hij zien dat ze allemaal leeg waren, op één na. De contouren van het hoofd van de man achter het stuur tekenden zich scherp af tegen het achterraampje.

Vlug begon Sam over de stoep te lopen. Toen hij ter hoogte van de bewuste auto kwam nam de bestuurder een krant op en hield die dusdanig dat hij werd beschenen door het licht uit een straatlantaarn. De handeling had bovendien het voordeel dat het hoofd van de man niet meer zichtbaar was. Sam vermeed zijn kant op te kijken. Hij raadpleegde onder 't voorbijgaan zijn horloge.

Juist toen hij de plek had bereikt waar de bestrating was opgebroken draaide er een taxi het plein op. Sam liep naar het midden van de weg en stak zijn hand op, ervoor zorgend dat de taxi niet voorbij kon. De remmen van het voertuig piepten hevig toen de taxi tot stilstand kwam.

'Het spijt me, makker,' begon de taxichauffeur, 'ik hèb al een –'

'Ik ben Harvey,' zei Sam zachtjes. 'Ik heb om een taxi gebeld.'

Hij drukte de knop van het portier in en voegde er iets luider aan toe: 'Naar het St. Matthew Ziekenhuis, en graag zo snel mogelijk.'

'Komt in orde, makker,' zei de chauffeur. Meteen toen het portier dichtsloeg schoot de taxi met een ruk naar voren.

Voordat de taxi het plein had verlaten boog Sam zich naar voren en bracht zijn mond voor de opening in de glazen afscheiding, die de chauffeur op een kier had laten staan.

'Chauffeur, sla hier linksaf, rij om het blok heen en zet me weer ongeveer op de plek af waar ik zojuist ben ingestapt.'

'Ik dacht dat u net zei dat u naar het St. Matthew –'

'Ik ben inspecteur van politie. Doet u alstublieft wat ik vraag. Ik heb haast.'

'Ik heb ook altijd mazzel,' kankerde de chauffeur, maar deed wat hem werd gezegd.

Er was weinig verkeer in de brede straat en de taxi had geluk bij de enige stoplichten op de route. Maar toen de chauffeur via een zijstraat een stuk probeerde af te snijden stuitte hij op moeilijkheden. Een achterwaarts uit een garage komende Vauxhall had een bestelwagen geraakt. De beide bestuurders stapten juist uit hun wagens, op die vastbesloten, weloverwogen en trage manier die vaak voorafgaat aan een uitbarsting. De taxichauffeur maakte volop gebruik van zijn claxon, maar ze schonken er totaal geen aandacht aan.

Toen de beide heren hun agenda's voor de dag haalden, draaide de taxichauffeur zich om teneinde na te gaan of hij soms achteruitrijdend aan de hindernis kon ontkomen, maar er was al een andere auto de zijstraat komen inrijden, zodat ook die uitweg versperd was.

'Niks an te doen, makker.'

Sam vloekte. Er verstreken uiterst belangrijke minuten. Die vent in de voor zijn flat geparkeerde auto had al ruimschoots de tijd gekregen om naar boven te gaan en met behulp van lopers zijn appartement binnen te gaan.

Hij nam een bankbiljet uit zijn portefeuille en stak het de chauffeur via de spleet in de afscheiding toe.

'Alstublieft. Ik ga verder wel lopen, dat gaat sneller.'

De man wilde al zijn beklag gaan doen toen hij zag dat het een biljet van vijf pond was.

'Bedankt, makker!' brulde hij, toen Sam al langs zijn raampje schoot. 'Ik wens je alle geluk van de wereld!'

Sam sprintte de zijstraat door, die ongeveer driehonderd meter van de flat uitkwam op het plein. Bij het passeren van de auto die vlakbij de opengebroken plek was geparkeerd zag hij dat er nu niemand meer in zat. Bij het naderen van de voordeur van de flat ging hij langzaam lopen óm weer op adem te komen, zodat hij de trap met drie treden tegelijk kon nemen.

Het eerste dat hij zag toen hij de overloop van z'n eigen voordeur had bereikt, was dat deze niet helemaal gesloten was. Iemand had de veiligheidsknip teruggeschoven en daarna de deur dichtgeduwd, zodat hij niet in het slot kon vallen – waarschijnlijk om er zeker van te zijn dat hij snel weg kon komen. Sam haalde de revolver uit zijn zak en legde het veiligheidspalletje om. Toen duwde hij met zijn voet zachtjes de deur open.

In de flat was het nog donker, maar in het licht dat vanuit de overloop naar binnen viel zag hij vlak na de deur iets op de vloerbedekking glinsteren. Het was de helft van een gebroken manchetknoop. Sam herinnerde zich de ervaring die Bellamy had opgedaan en beheerste zich, toen hij wilde bukken om het op te rapen. Dit was dè klassieke manier om je door een in hinderlaag opgestelde aanvaller buiten westen te laten slaan.

Op dat moment hoorde hij gekreun en een geluid alsof er

iets werd verschoven, afkomstig uit het interieur van de flat. Met de revolver in de aanslag stak hij zijn hand uit naar de schakelaar en knipte het licht in de gang aan. De kleine ruimte was verlaten. Haastig liep hij door, om bij de deur van de zitkamer opnieuw te blijven staan. Naast de deurpost aan de buitenkant zat een schakelaar voor het bedienen van het grote licht in de kamer. Sam haalde deze over en hoorde meteen opnieuw het gekreun. Er viel nu niet langer aan te twijfelen dat dit geluid afkomstig moest zijn uit de keuken.

Nog steeds op zijn hoede voor een valstrik, controleerde Sam de ruimte achter de deur van de zitkamer. Pas toen liep hij voorzichtig verder, waarbij de revolver op heuphoogte bleef, klaar om in iedere gewenste richting te worden afgevuurd.

Er was niemand in de kamer, maar hij controleerde zorgvuldig de ruimte achter de gordijnen alvorens naar de keukendeur te sluipen. Deze was nagenoeg gesloten, maar hij kon zien dat het licht brandde.

Sam trapte de deur open. Met een smak raakte deze de muur, maar nu had Sam zicht op de hele keuken.

De man lag in het midden van de keuken op de grond. Hij lag op zijn rug en kneep zijn ogen dicht van de pijn. Zijn voeten maakten een schuivend geluid over de grond. Zijn beide handen omklemden het heft van het stiletto-achtige mes dat tot aan het gevest in zijn borstkas was begraven, maar hij bezat noch de kracht, noch de vastberadenheid die vereist was om het eruit te trekken.

Een vluchtige blik onthulde Sam dat de man hooguit nog enkele minuten te leven had, tenzij hij vliegensvlug naar een afdeling Intensive Care werd overgebracht. Met eerste hulp viel hier niets uit te richten.

Hij rende terug naar de zitkamer en pakte de telefoon. Terwijl hij drie negens draaide en telkens moest wachten tot de kiesschijf waanzinnig traag was teruggedraaid, had hij de kans om zich te realiseren dat dit binnen enkele dagen nu al de derde keer was dat hij om een ambulance moest bellen.

Zodra hij zijn boodschap had doorgegeven en met nadruk had gezegd dat iedere seconde van vitaal belang was, herinnerde hij zich opeens de halve manchetknoop die hij in de

146

gang had zien liggen.

Hij keerde terug naar de gang. De deur stond nog steeds wijd open, maar de halve manchetknoop was verdwenen.

8

In overeenstemming met het uitgestippelde PR-beleid van Scotland Yard hield hoofdinspecteur Bert Sinclair de pers op de hoogte van de jongste ontwikkelingen in de zaak Marius of Rye. Hij vertrouwde wel op hun bereidheid om bepaalde aspecten van het onderzoek nog even uit de krant te houden. Hij had vooral het meest recente incident in de flat van ex-inspecteur Harvey onder de roos willen houden, maar een door Londen scheurende ambulance met gillende sirene is niet iets dat je gemakkelijk stil houdt, vooral niet als er een stuk of vijf politiewagens met opmerkelijke snelheid samenstromen bij het huis van waaruit die ambulance werd gebeld. Een plaatselijke free-lance verslaggever was bijzonder snel ter plekke, met het gevolg dat iedere misdaadredacteur uit Fleet Street een verhaal eiste.

Doodmoe van het beantwoorden van telefoontjes van misdaadverslaggevers, belust op een exclusieve inlichting, had Sam één cijfer gedraaid en de hoorn van de haak gelegd. De volgende ochtend om tien uur was in deze stand van zaken nog geen verandering gekomen, toen hij in kamerjas gekleed in de keuken een laatste kop koffie dronk en een eerste sigaret opstak. Op de keukentafel lag een stel ochtendbladen. Zijn ongeopende post lag op het tafeltje in de gang.

Na laat naar bed te zijn gegaan was hij nog juist tijdig genoeg opgestaan om het grootste deel van het bloed van Phil Morgan op te dweilen van het linoleum in de keuken voordat mevr. Carr verscheen. Ze had een ontbijt voor hem klaargemaakt, terwijl hij een bad nam en zich schoor.

Nu maakte ze zich verdienstelijk in de zitkamer door de rommel op te ruimen die de ziekenbroeders en politiefunctionarissen er hadden achtergelaten, toen ze er hun taken verrichtten.

Sam hoorde de deurbel gaan maar liet het aan mevr. Carr over om open te doen. Hij had haar op het hart gebonden dat hij niemand wilde ontvangen, tenzij het bijzonder dringend was. Tot zijn ergernis hoorde hij nu toch stemmen op de gang. Ze bleven ook nadat de voordeur was dichtgeslagen doorpraten.

Even later kwam mevr. Carr de keuken binnen. Haar blauwe kleurspoeling werd beschermd door de hoofddoek die ze altijd omdeed als ze moest afstoffen of stofzuigen.

'Het is een jongedame, meneer,' fluisterde ze. 'Ze zegt dat ze u beslist moet spreken en dat 't heel belangrijk is en –'

'Heeft u gevraagd hoe ze heet?'

'Ja. Juffrouw Morris, zei ze, geloof ik.'

Het was overduidelijk dat mevr. Carr een gunstiger indruk had van Chris Morris dan ze van Margaret Randell had opgedaan. Ze had er tegenover Sam meer dan eens op gezinspeeld dat het hoog tijd werd dat hij een leuk meisje vond om mee te trouwen. Ze had zichzelf belast met de taak zijn vrouwelijke bezoekers te ontleden. Deze 'juffrouw' Morris behoorde duidelijk tot de categorie die zij het predikaat 'Zeer geschikt' placht te verlenen.

'In dat geval lijkt het me verstandig haar even te ontvangen. Vraag haar binnen te komen, mevrouw Carr.'

Hij dronk zijn kop leeg en drukte zijn sigaret uit. Gelukkig had hij na zich te hebben geschoren een broekje aangetrokken. Hij knoopte de ceintuur van zijn kamerjas dicht toen hij de zitkamer binnenstapte.

Mevr. Carr hield juist de deur uitnodigend voor Chris open.

'Excuses voor de stoornis, meneer Harvey,' begon Chris toen mevr. Carr in de keuken verdween. 'Ik heb u geprobeerd te bellen, maar kreeg voortdurend in gesprek.'

Sam glimlachte, zonder naar het telefoontoestel te kijken. 'Wat kan ik voor u doen, mevrouw Morris?'

'Ik kom zojuist van de krant. We hadden een melding gekregen dat er gisteravond een man bij u zou hebben ingebroken en daarna door iemand werd aangevallen. Klopt dat?'

'Dat klopt, ja.'

'Wat is er precies gebeurd?' Ze opende haar tasje en haalde een notitiebloc tevoorschijn.

'Dat is moeilijk te achterhalen. De politie schijnt te denken dat hij iemand heeft gestoord die zich al vòor hem in de flat bevond.'

149

'Ik begrijp het. Wie was degene die de gewonde man ontdekte?'

'Ikzelf. Ik was de deur uitgegaan en kwam onverwachts terug. Morgan lag in de keuken op de grond. Neergestoken.'

Ze keek op, maar liet haar potlood boven het notitiebloc zweven. 'Dus hij heette Morgan?'

'Ja, Phil Morgan.' Sam lette scherp op haar reactie. 'Ik dacht dat u hem kende. Hij was de man waarover we het gisteravond hebben gehad. U weet wel, die vriend van Jill Foster.'

Dit nieuws betekende kennelijk een schok voor haar. 'Ik realiseerde me niet dat... In het berichtje dat wij kregen stond alleen dat er iemand bij u had ingebroken. Er werd geen naam in genoemd. Ik had niet kunnen dromen dat... Hoe is het met Morgan?'

'Hij stierf onderweg naar het ziekenhuis.'

Zwijgend ging ze op de bank zitten, zonder nog aandacht aan haar notitiebloc te schenken. 'Niet te geloven! Wat spookte Phil Morgan in godsnaam in uw flat uit?'

'Ik zou 't niet weten.'

'Geen enkel idee?'

'U misschien wel? Wat zou hij hier volgens *u* hebben moeten uitspoken?'

Het feit dat hij haar vraag met een wedervraag beantwoordde bracht haar van haar stuk. Haar blik dwaalde onrustig door de kamer en ze vermeed het hem aan te kijken.

'Ik heb geen flauw benul, tenzij – Is dit de eerste maal dat er bij u werd ingebroken?'

'Nee.'

'Wat gebeurde er dan de vorige maal?'

'Mevrouw Morris,' zei Sam gedecideerd, 'u moet 't me maar niet kwalijk nemen, maar ik heb om elf uur een afspraak en ik heb vanmorgen nog een massa dingen af te handelen. Ik kan u op dit moment trouwens niets meer vertellen. Het spijt me.'

'Ik begrijp het. In elk geval bedankt dat u me even wilde ontvangen. Misschien mag ik u later op de dag nog even opbellen, voor het geval dat u –'

Ze stond op en borg haar notitieblok op. Sam legde de

hoorn weer op de haak van het telefoontoestel.

'Ja. Doet u dat beslist.'

Ze begon naar de gang te lopen, maar bleef bij de deur staan. 'Hubert en ik hebben ons na uw vertrek het een en ander afgevraagd. We begrepen maar niet waarom u wilde weten of onze zoon, Jonathan, ooit een bezoek aan Guildford had gebracht.'

'Dat zal ik u zeggen. Op zekere morgen heeft een jongen van zijn leeftijd in alle vroegte een bezoek aan het huis van mijn ouders afgestoken en er een pakje afgeleverd. Die bewuste jongen hinkte.'

'Nou, Jonathan is het niet geweest, dat kan ik u verzekeren.'

Nadat hij de deur achter haar had dichtgedaan bleef hij er een poosje naar staan staren. Ze had gedaan alsof ze uit was op een exclusieve reportage over het incident in de flat. Hij was ervan overtuigd dat haar verbazing bij het noemen van de naam Phil Morgan echt was geweest. Maar nu vroeg hij zich niettemin af of haar bezoek wellicht een smoes was geweest om nog eens de kans te krijgen te ontkennen dat Jonathan ooit in Guildford was geweest.

Terwijl hij zich aankleedde bleef de telefoon zo waar zwijgen, maar hij stond zijn veters vast te maken toen Bellamy arriveerde. Toen Sam zich in de zitkamer bij hem voegde stond de lange inspecteur bij het raam wat ademoefeningen te doen en zijn schouders los te maken.

'Sorry dat ik je even moest laten wachten, Bellamy.'

Bellamy draaide zich om en maakte met zijn hoofd zijwaartse bewegingen om zijn nekspieren te ontspannen.

'Geeft niet, hoor. Ik was toch in het gebouw om wat vragen te stellen en kwam tot de conclusie dat ook een praatje met jou geen kwaad kon.'

'Och, waarom ook niet?' zei Sam goedgehumeurd.

Bellamy fronste zijn voorhoofd, alsof hij een zeker sarcasme meende te beluisteren, of – erger nog – neerbuigendheid.

'Ik meen dat je hebt verklaard dat het ongeveer kwart over negen was toen je Morgan aantrof?'

'Ja. Ik was hier om vijf voor negen weggegaan. Dat weet ik zo precies, omdat ik op m'n horloge heb gekeken. En ik ben ongeveer een kwartier weggebleven.'

'Nou, het is nu vast komen te staan dat er tussen het tijdstip waarop jij wegging en dat waarop Morgan moet zijn vermoord drie mensen de flat zijn binnengekomen.'

'Drie mensen, zeg je?'

'Ja. Twee mannen en één vrouw. Uiteraard moet Morgan een van die mannen zijn geweest, maar volgens onze inlichtingen was hij niet de eerste die naar binnen is gegaan. Die andere kerel was hem vòòr. Een grote vent met een bril op.'

'Een grote vent met bril?' herhaalde Sam scherp.

Bellamy schudde z'n hoofd. 'Aan zo'n signalement hebben we geen fluit. Die bril kan wel onderdeel zijn geweest van een vermomming. Waarschijnlijk was-ie niet eens groot. Tegenwoordig loopt de helft van alle mannen in Londen op schoenen met verhoogde hakken.'

Onwillekeurig moest Sam een blik werpen op Bellamy's enorme platte schoenen.

'En wat weet je over die vrouw?'

'Die ging als laatste naar binnen. In feite moet ze ongeveer op hetzelfde tijdstip als jijzelf de flat binnen zijn gegaan. Een van de andere bewoners – een zekere mevrouw Calthorpe – heeft 'r gezien. Ze omschreef haar als "een goedgeklede vrouw die haast scheen te hebben".'

'Zou mevrouw Calthorpe haar kunnen herkennen, denk je?'

'Dat betwijfel ik ten zeerste. Hoe dat zo? Heb je soms iemand op het oog?'

'Och, niemand in het bijzonder.'

Bellamy stond Sam wantrouwig op te nemen. 'Weet je, waar ik me over verbaas is, waarom jij niet dadelijk naar het ziekenhuis bent gegaan, nadat die dokter je had opgebeld.'

'Geen idee. Het was gewoon een ingeving. Heb jij die nooit, Bellamy?'

'Niet als ik het ook maar even kan vermijden. Naar mijn ervaring kunnen ze je alleen maar op een dwaalspoor brengen.'

De telefoon – die zich uiterst netjes had gedragen nadat

Sam de hoorn weer op de haak had gelegd – koos dat moment uit om z'n stilzwijgen te verbreken.

'Met Harvey?'

'Met Margaret Randell, meneer Harvey.'

'O, goeiemorgen, Margaret!'

Bellamy deed alsof hij niet de minste belangstelling koesterde, door een krant te pakken en er onverschillig in te gaan zitten bladeren.

'Ik logeer bij kennissen in Hampstead en zou je dolgraag even willen spreken, nu ik nog in de stad ben. Is dat mogelijk?'

'Vanzelfsprekend. Hoe lang blijf je in Londen, denk je?'

'Dat weet ik nog niet. Een dag of twee, drie.'

'Wel, waarom wip je morgenochtend niet even langs? Zullen we zeggen twaalf uur? Iets te drinken is er altijd wel.'

'Graag, heel aardig van je. Ik ben gisteravond nog voor je deur geweest, maar je was er kennelijk niet. Het gekke was alleen dat je voordeur op een kier stond.'

'Hoe laat was dat?'

'Rond een uur of negen, veronderstel ik. Misschien iets later. Ik heb nog gebeld, maar niemand deed open. Ik begreep er niet veel van.'

'Heb je nog iemand gezien, Margaret?'

'Iemand gezien?'

'Ja, toen je in het gebouw was.'

'Nee, ik geloof van niet.' Ze zweeg en raadpleegde haar geheugen. 'O ja, wacht eens even – net toen ik onderaan de trap was gekomen zag ik een jongeman naar beneden komen en naar buiten gaan.'

'Hoe zag die jongeman eruit?'

'O, hemeltje! In dit soort dingen ben ik ontzettend slecht. Donker. Tamelijk lang haar. Maar om je de waarheid te zeggen heb ik nauwelijks notitie van hem genomen.'

Bellamy had zijn pogingen om te doen alsof hij de krant las opgegeven en luisterde nu met onverholen belangstelling naar de rest van Sams telefoongesprek.

'Fijn dat je me even belde, Margaret. Ik verheug me op je komst, morgen. Tot dan.'

Sam hing op en keek Bellamy glimlachend aan.

'Nou, één vraag is tenminste beantwoord. Nu weten we wie de vrouw is geweest.'

Tegen de tijd dat hij Bellamy had geloosd liep Sam grote kans te laat te komen voor de afspraak met zijn uitgever. Hij pakte de bladzijden die hij gedurende de afgelopen drie dagen had volgeschreven op en stopte het pakje in een aktentas. De telefoon rinkelde alweer toen hij de flat verliet. Hij riep mevr. Carr toe hem op te nemen en rende de trap af naar de straat. De ervaring had hem geleerd dat hij met de ondergrondse het snelst naar Long Acre kon komen. Hij sloeg juist af naar het metrostation South Kensington, toen er een Rolls-Royce vlak naast hem langs de stoeprand stopte. Hij keek om en herkende de in livrei gestoken chauffeur achter het stuur. Ook zag hij dat een bekend gezicht hem door het open raampje van het achterportier toelachte.

'Ah, meneer Harvey!'

'Nee maar, meneer Randell.'

'Dat noem ik boffen. Ik wilde juist bij u langs komen, in de hoop dat we even met elkaar konden praten.'

'Dat spijt me, want ik heb nogal haast.'

'Waar moet u heen? Kan ik u een lift geven?'

'Nee, dat denk ik niet. Ik heb een afspraak in Long Acre.'

'Long Acre? Stap maar in, dan zet ik u daar wel even af.'

'U weet 't zeker?'

'Beslist,' verzekerde Randell hem.

Hij boog zich voorover om het portier te openen. Sam stapte in en liet zich naast Randell in de kussens zakken.

'Long Acre, Harold,' beval Randell zijn chauffeur, waarna hij op een knop drukte om de glazen afscheiding te sluiten.

Randell wachtte tot de grote limousine zoemend het plein had verlaten en zich in het verkeer over Brompton Road had ingevoegd, voor hij zijn bril omhoog schoof en Sam aankeek.

'Ik ben helemaal niet nieuwsgierig van aard, meneer Harvey, maar ik moet bekennen dat u me bij onze laatste ontmoeting nogal nieuwsgierig hebt gemaakt.'

'Waarnaar precies?'

'Naar uw vader en de relatie die hij met mijn vrouw onderhield. Kortom, ik begon me af te vragen of die kennis van u – wie dat ook geweest moge zijn – wel over de juiste feiten beschikte.'

'Dat was inderdaad zo. Ik heb er met Margaret over gesproken en ze heeft me uitgelegd hoe de vork aan de steel zat.'

'Zo zo, heeft ze dat? Heel interessant. Ik heb namelijk gisteravond Katie Mellowhead gesproken. En die heeft mij hàar versie van de juiste toedracht verteld. Nu vraag ik me natuurlijk af of het klopt met het verhaal van Margaret?'

'Het lijkt me niet zo moeilijk om daar achter te komen,' zei Sam.

'Hoe dan?'

'Door hetzelfde te doen als ik heb gedaan, meneer Randell. Vraag het uw vrouw.'

'Ik vraag het veel liever aan u, meneer Harvey. Wat heeft Margaret u verteld?'

'Dat het idee om met mijn vader naar de Leopard Club te gaan en daar met hem iets te eten helemaal van haar afkomstig was. Ze wilde eenvoudig iets terugdoen voor alle vriendelijkheid die hij haar had bewezen.'

Randell scheen enigszins door deze verklaring uit het veld te worden geslagen. 'Dat klopt precies met het verhaal van Katie,' zei hij, alsof hij ongelijk moest bekennen.

'Ziet u nou wel.'

'Stel je voor – Margaret die zo maar de waarheid zegt! U moet wel een bijzonder heilzame invloed op mijn vrouw uitoefenen, meneer Harvey.' Hoewel het in de auto al tamelijk warm was boog hij zich voorover om de verwarming nog iets hoger te draaien. 'Zegt u mij eens – die kennis van u, was dat soms toevallig uw collega, inspecteur Bellamy?'

'Inderdaad.'

'Dacht ik al. Katie vertelde me dat hij was komen rondneuzen.'

'Om vragen over mijn vader te stellen?'

'Niet alleen over hèm. Gek genoeg ook over mij! Hoewel ik me niet kan voorstellen waarom hij belangstelling voor mijn persoontje zou moeten hebben.'

'U bent nu eenmaal een buitengewoon welgesteld man, meneer Randell.'

'Sinds wanneer is rijk-zijn een misdaad?' Hij draaide zijn hoofd om en lachte Sam onschuldig toe.

'Dat niet, natuurlijk. Alleen schijnt u op een uitzonderlijk gemakkelijke manier nogal veel geld te verdienen.'

'Tja, ik behoor tot dat zeldzame slag van gokkers die een gelukkige hand hebben. Maar het is in geen geval een gemakkelijke manier om je brood te verdienen. Dus als u soms plannen in die richting mocht koesteren, meneer Harvey, raad ik u aan ervan af te zien.'

'Die gedachte was nog niet in me opgekomen. Maar ik gun u graag uw succes, meneer Randell.'

'Blij dat te horen. Nou hoop ik maar dat die vriend van u, die Bellamy, er ook zo over denkt.'

Harold toonde zich een uitstekend chauffeur. Sam had de lessen aan de politierijschool met goed gevolg doorlopen, maar zelfs hij moest de manier bewonderen waarop de man de grote limousine schijnbaar moeiteloos door het drukke ochtendverkeer loodste. Hij kende Londen als zijn broekzak en reed als een ervaren taxi-chauffeur via allerlei zijstraten langs de kortste route naar het kantoor van Scofield and Ray in Long Acre, waar Sam precies één minuut voor het afgesproken tijdstip kon uitstappen.

'Bedankt voor de lift. Dat scheelt een stuk.'

'Graag gedaan.' Randell gebaarde naar het naambordje naast de deur. 'Uw uitgever, neem ik aan?'

'Eh – ja,' gaf Sam schoorvoetend toe, overvallen door de scherpzinnige manier van raden van de ander.

'Bent u bezig aan een nieuw boek, meneer Harvey?'

'Eerlijk gezegd wel, ja.'

'Nou, kijk maar niet zo verbaasd,' grinnikte Randell. 'Aangezien u uw licht over mij hebt gestoken, leek het mij gewenst hetzelfde omtrent u te doen.'

Sam bracht anderhalf uur door in het kantoor van Scofield, teneinde wat probleempjes glad te strijken die bij zijn eerste versie van het manuscript voor het nieuwe boek om de hoek waren komen kijken. Daarna gebruikten ze samen de lunch in een bistro, gevestigd in de voormalige markthallen van Covent Garden. Omstreeks de tijd dat ze klaar waren, had Scofield Sam ervan overtuigd dat hij niet telkens de bladzijden die hij had geschreven moest verscheuren. Vreemd genoeg was, wellicht door de spanning van het werken tegen de achtergrond van de zaak Marius of Rye, zijn stijl er beknopter op geworden, zodat hij nu nòg beter schreef dan eerst.

Sam besloot dat hij, voor hij naar huis ging om aan een nieuw hoofdstuk te beginnen, even langs zou wippen bij Bert Sinclair op Scotland Yard. Hij wilde hem gaan zeggen dat hij na zijn belofte inderdaad niet meer op eigen houtje een onderzoek had ingesteld. Niet *hij* was op informatie uit geweest, maar de informatie was hèm blijven opzoeken. Tenslotte had hij niet het initiatief genomen tot de ontmoetingen met Walter Randell en Chris Morris, noch had hij ook maar enige moeite gedaan om Margaret voor een bezoek aan zijn flat uit te nodigen. En het kon nauwelijks aan hem te wijten zijn dat Bellamy, Jill Foster en Phil Morgan alledrie in *zijn* flat waren aangevallen. Zijn huis scheen een geheimzinnige aantrekkingskracht uit te oefenen op iedereen die iets te maken had met de raadselachtige moord op zijn ouders.

Toen hij Sinclairs werkkamer had bereikt constateerde hij dat Bellamy hem net een slag voor was geweest. De hoofdinspecteur wuifde naar een stoel.

'We zijn zo klaar, Sam. Ik wilde alleen met Bellamy nog een paar dingen recht zetten.'

Sam ging zitten en pakte de jongste editie van de *Daily Telegraph* van tafel. Bert had Bellamy niet verzocht plaats te nemen. Hij nam een vel papier van het bekende A4-formaat op, volgetikt met dicht opeen staande regels.

'Het gaat om dit memo van je, Bellamy. Hoe uitvoerig het ook moge zijn, ik ben bang dat ik er geen bal van begrijp.'

'Het gaat over Corby, meneer. Die fotozaak. U herinnert zich Corby natuurlijk?'

'Ja, vanzelfsprekend herinner ik me Corby!' Zoals gewoonlijk ergerde Bert zich aan de schoolmeesterachtige manier van doen van Bellamy. 'De man die ons dat filmpje is komen brengen.'

'Die ja.'

Bert klopte met de knokkels van zijn rechter hand op het memo. 'Maar wat is dit allemaal, over een of ander jacht en over Poole Harbour?'

'Deze Corby heeft twee zaken in gebruikt meubilair. Een in Weybridge en een in Addlestone.' Tersluiks wierp Bellamy een blik in Sams richting, om te zien of hij meeluisterde. 'Ik heb het twijfelachtige genoegen gehad ze allebei te bezoeken.'

'En?'

'Om u de waarheid te zeggen zou het me hogelijk verbazen als hij er meer dan een paar honderd pond per week mee verdient.'

'Wel?'

'Daarom vraag ik me af hoe meneer Corby er een jacht op kan nahouden!'

'Houdt-ie er een *jacht* op na?'

Sam glimlachte achter zijn krant. Hij had die twee al zo dikwijls op deze manier horen bekvechten. Bellamy vond het zalig een paar troeven achter de hand te houden, zodat hij ze op tafel kon smijten als hij Bert er eindelijk toe had gebracht zijn geduld te verliezen.

'Ja. Het ligt in die haven, Poole Harbour. Het heet *Easy Living*. En volgens een kennis van mij die verstand heeft van boten, moet dat jacht op z'n minst honderdduizend pond hebben gekost.'

'En je weet zeker dat dit jacht inderdaad van Corby is?'

'Zonder enige twijfel. Ik heb het gecontroleerd en nog eens gecontroleerd.'

'Tja, als het waar is wat je zegt zit er wel een heel eigenaardig luchtje aan! De handelaar in gebruikt meubilair Corby, eigenaar van een jacht dat meer dan honderdduizend pond waard is –'

'*En* Jason Harvey,' vulde Bellamy aan, 'een gepensioneerd verzekeringsagent, die maar liefst een half miljoen nalaat.'

'Het rijmt eenvoudig niet met elkaar. Wat is dat met die fotozaak en die man die Naylor heet?'

158

'Arthur Naylor. Dat is de knaap van die fotozaak, Surrey Snapshots. Ik heb met Naylor nog eens een praatje gemaakt en – wel, uiteindelijk gaf hij toe dat hij Corby ternauwernood kent! Hij zei dat Corby hem vijfhonderd pond heeft betaald om zijn verhaaltje te staven.'

Bert liet het memo op zijn bureau vallen, stond op en liep om zijn bureau heen.

'Dus als ik het goed begrijp wil jij hiermee zeggen, dat die film ergens anders werd ontwikkeld en dat Corby vanaf het allereerste begin heeft geweten wat erop stond.'

'Zo is het precies. Corby kan die film zelfs persoonlijk hebben opgenomen.'

'Maar waarom brengt-ie 'm dan hierheen? Wat beoogde hij daarmee?'

'Tja, meneer, mijn theorie – ik heb het aan het slot van dit memo uiteengezet – luidt, dat –'

Bellamy stond juist op het punt over te schakelen naar een hogere versnelling, toen de deur werd geopend. Een in burger geklede man met een verstrooid uiterlijk verscheen in de deuropening. Hij had een abnormaal hoog voorhoofd, bekroond met weerbarstig, warrig haar. Hij droeg een bril met stalen montuur en halve glazen. Als hij niet ingespannen met iets bezig was placht hij er met samengeknepen oogjes overheen te kijken. In zijn schulp kruipend bij het zien van de forse gestalte van Bellamy, bleef hij op de drempel staan. Sam herkende het notitieboekje in zijn hand als het in leer gebonden boekje dat George Adams hem had overhandigd.

'O, pardon meneer. Neemt u mij niet kwalijk.'

'Kom binnen, Osgood.' Vriendelijk gebaarde Bert hem binnen te komen. 'Kom er gerust bij.'

Nerveus keek Osgood met knipperende oogjes in Sams richting.

'Ik kan ook straks wel even langskomen, meneer, als u dat liever –'

'Nee, nee, je komt gelegen.' Bert liep naar de deur om die achter Osgood te sluiten. Hij sloeg beschermend een arm om hem heen en leidde hem verder. 'En hoe ben je gevaren met dat notitieblokje van Jason Harvey? Al wat verder gekomen?'

'Gemakkelijk is het niet, maar we komen er wel. Op dit moment zou ik graag iets willen vragen, meneer.'

'Ga je gang. Wat wilde je weten?'

Osgood weifelde, alsof hij een onbescheiden vraag wilde stellen.

'Als Jason Harvey een auto had zou ik graag het kenteken willen weten.'

'Dat is geen probleem.'

'En van die bestelwagen – met het opschrift Marius of Rye.'

Bert keek Bellamy met opgetrokken wenkbrauwen aan.

'Die was gestolen,' antwoordde deze. 'Er zaten valse kentekenplaten op.'

'Ja, ik weet dat het kenteken vals was. Maar hoe luidde het registratienummer?'

Bert ging weer achter zijn bureau zitten en begon de paperassen erop door te snuffelen. 'Ik zal het je zo vertellen. Ik moet het hier ergens hebben. Nou, waar heb ik het voor de drommel gelaten?' Triomfantelijk sloeg hij met de vlakke hand op een met de schrijfmachine ingevuld formulier. 'Ah, daar hebben we het!'

'Is het soms GYT 842 N?' vroeg Osgood vlug, er blijkbaar op gebrand om ernaar te raden voordat Bert het hem had gezegd.

Bert keek naar hem op. 'Nee.'

Osgood maakte een teleurgestelde indruk. Hij raadpleegde het notitieboekje.

'NPE 296 F?' probeerde hij, en zijn mond bleef open terwijl hij Bert over de rand van zijn halve glazen aanstaarde.

'Nee,' zei Bert hoofdschuddend, Osgoods spelletje meespelend. Hij wachtte even en zei toen: 'Het is JKN 405 N.'

'O?' Osgood krabde zich op zijn hoofd, hevig teleurgesteld nu. 'Lieve help.'

'Moeilijkheden?' opperde Bert behulpzaam.

'Och, gaat wel.' De expert op het gebied van codes en wiskundige raadsels leek met zijn gedachten mijlenver weg, toen hij het notitieboekje nog eens zorgvuldig vergeleek met een vel papier dat hij tussen de bladzijden had gestoken. 'Ik ben ervan overtuigd dat ik op het goede spoor zit.' Toen schudde hij het hoofd, lachte Bert kort toe en draaide zich om. Terwijl hij naar de deur terugschuifelde mompelde hij: 'Nou, terug maar weer naar de tekentafel, Osgood.'

Het onderhoud dat hij met Scofield had gehad had Sam het duwtje bezorgd dat hij nodig had gehad. Hij had Sinclair en Bellamy nu alles verteld wat hij wist en wilde hen het geval maar al te graag verder laten afhandelen. Scofield wilde *Een ontbijt in de dierentuin* zo snel mogelijk uitbrengen, teneinde de vruchten te plukken van het succes dat Sams eerste boek had opgeleverd. Sam wilde nu alleen nog met rust worden gelaten, zodat hij de resterende hoofdstukken ongestoord kon voltooien.

Hij had nu op z'n minst vijftienhonderd woorden geschreven, toen zijn concentratie werd verstoord doordat hij het koud kreeg en merkte dat hij honger had. Hij schoof z'n stoel achteruit, rekte zich uit en stond op. Hij liep naar de muur en draaide de schakelaar van de elektrische radiator om, trok de gordijnen voor het donkere raam dicht, pakte een sigaret en stak op.

Uit de flat boven hem hoorde hij het tikken van een vrouw die op hoge hakken over een parketvloer liep. Hij wenste dat zij en haar medebewoner vaste vloerbedekking hadden genomen in de zitkamer. Het bandje dat hij toen hij begon te werken had opgezet was allang afgelopen. De luidsprekers brachten nu alleen nog een vaag achtergrondgeluid voort, alsof er een gasleiding lekte. Het gesis herinnerde hem aan zijn jeugd in Pennymore, toen de open haard in de gezellige kleine kamer die hij voor zichzelf alleen had een soortgelijk geluid placht te produceren. Hij had er vaak zijn toevlucht gezocht, als Jason Harvey hem weer eens het vage gevoel van ongewenst-zijn had bezorgd. Hij had zijn uiterste best gedaan om zijn stiefvader graag te mogen, maar had toch zijn instinctieve wantrouwen tegenover hem nooit helemaal kunnen overwinnen. Nu wist hij dat hij gelijk had gehad.

Hij ging weer zitten, maar zijn stemming was verdwenen. Nadat hij een paar regels had geschreven frommelde hij het papier ongeduldig in elkaar en wierp de prop in de prullemand. Hij wilde juist aan een nieuw vel papier beginnen toen de telefoon begon te rinkelen.

Peinzend keek hij ernaar, zich afvragend of hij zou opnemen of niet. Tenslotte nam hij met een berustend schouderophalen de hoorn van de haak. Meteen hoorde hij de onderbroken toon die in Engeland aangeeft dat het telefoontje uit een cel afkomstig is.

'Harvey?' vroeg een stem buiten adem.

'Ja, met wie?'

'Bellamy. Luister. Als er wordt aangebeld niet opendoen!'

'Waar hèb je 't over?'

'Heb je gehoord wat ik zei?'

'Ja, ik heb het gehoord. Maar waarom in hemelsnaam –'

'Doe wat ik je zeg!' brulde Bellamy bijna. 'Blijf weg van de deur. Doe voor niemand open, hoor je!'

De hoorn werd op de haak gesmeten. Sam legde die van hem een stuk rustiger neer. Hij dacht na. Het was niets voor Bellamy om zo in paniek te raken.

Alle hoop die hij had gekoesterd om ongestoord verder te kunnen aan zijn verhaal was nu de bodem ingeslagen. Hij schoof z'n stoel achteruit en liep naar de gang. Beide deursloten waren veilig op slot. Nu schoof hij ook de zware grendel ervoor, die hij na het ongewenste bezoek van Morgan op de deur had gemonteerd. In de keuken maakte hij de koelkast open, pakte een fles melk en schonk de helft ervan in een pannetje om de vloeistof warm te maken. Hij vond een blikje cacaopoeder en een pak chocoladebiscuits in de keukenkast, die door mevr. Carr aan kant was gebracht. Leunend tegen de muur stond hij te wachten tot de melk aan de kook zou raken en at intussen een paar biscuits op.

De vrouw op hoge hakken boven had haar rusteloze wandelingetjes gestaakt en haar televisietoestel aangezet, kennelijk om het journaal van negen uur te kunnen zien. De zware stem van de omroeper dreunde door de vloerplanken. Via het keukenraam kon hij over de klein uitgevallen achtertuinen heen de muren van de huizen in de straat achter het plein zien. Daar hij zich te opvallend voelde onder het schelle neonlicht in de keuken, boog hij zich voorover om aan het koord van de luxaflex-zonwering te trekken.

Wat voerde Bellamy in hemelsnaam nu weer in zijn schild? Het was irritant dat de man hem niet wat meer had verteld. Hij kon op geen enkele manier bepalen of het telefoontje uit een in de buurt staande cel was gekomen, of van verderweg. Eigenaardige kerel, die Bellamy. Hij was er nog altijd niet achter hoe het kwam dat Bellamy's telefoonnummer tussen de beide andere in dat luciferboekje van Jill Foster had gestaan.

Een onverwachts gesis en de geur van verbrande melk herinnerde hem aan de melk op het gasstel, die hij had laten overkoken. Vlug veegde hij het gasstel schoon, waarbij hij per ongeluk tegen een lepel stootte, die prompt op de grond viel. Net toen hij zich bukte werd er gebeld.

Hij raapte de lepel op en legde hem naast de kop. Hij luisterde naar de rinkelende deurbel en staarde door de open deur naar de zitkamer. Na ongeveer een halve minuut zweeg de bel.

Sam veegde met een vochtige doek het gasstel verder schoon. Hij schonk de hete melk op de cacao die hij in de kop had gedaan en roerde.

Opnieuw begon de deurbel te rinkelen, maar ditmaal met korte tussenpozen die het geluid nog indringender maakten.

Sam zette de kop chocolademelk neer en liep langzaam door de zitkamer naar de gang. Daar bleef hij staan, kijkend naar de gesloten voordeur. De deurbel hing vlak boven zijn hoofd en klonk bijna oorverdovend in de stilte.

Opeens hield het bellen op. De deur begon te schudden onder het razende gebonk van twee gebalde vuisten. Hij meende een wanhopig gesnik te horen.

Met zijn rug tegen de muur gedrukt riep hij uit: 'Wie is daar?'

'Jill!' riep een wanhopige stem hem toe. 'Jill Foster! Alstublieft, laat me binnen!'

9

'Nou, zo te zien zijn jullie allebei hard aan een borrel toe.'
Sam had de voordeur weer zorgvuldig gesloten en vergrendeld, alvorens zijn beide bezoekers te volgen naar de zitkamer. Peter Brewster was behoorlijk van streek en scheen zich enigszins te schamen. Hij had Jill vooruit gestuurd naar Sams flat, terwijl hij zijn wagen parkeerde en afsloot, maar in zijn haast had hij de sleutel klem gewrongen in het portierslot.

'Het spijt me ontzettend, Jill,' zei hij, zich opnieuw verontschuldigend. 'Werkelijk.'

'Geeft niet. Ik raakte alleen in paniek toen ik daar zo moederziel alleen op die overloop stond en er niemand opendeed.'

Ze zag wit en zwakjes en Sam vond haar pupillen onnatuurlijk groot. Ze liep naar de zitbank en ging zitten.

'Ik geloof niet dat ze er verstandig aan zou doen sterke drank te gebruiken, meneer Harvey,' zei Peter. 'De dokter heeft haar een injectie gegeven, vlak voor we het ziekenhuis verlieten. Maar als u 't heeft zou ik zelf wel een glaasje whisky kunnen gebruiken.'

Sam knikte en liep naar het geïmproviseerde barretje. Hij nam de tijd om Brewsters glas in te schenken. Het stel kon wel een adempauze gebruiken. Ze waren allebei ontzettend nerveus.

Peter nam zijn glas gretig aan en nam een stevige slok. Daarna ging hij naast Jill op de leuning van de bank zitten.

'We hebben vanavond een lang gesprek gehad, en ik heb Jill er eindelijk toe over kunnen halen hierheen te gaan en u de waarheid te vertellen. Ze is nu bereid u haarfijn uit de doeken te doen wat er met uw ouders is gebeurd, nadat ze hen had afgehaald van London Airport.'

Sam draaide zich om, zodat hij Jills gezicht kon zien. Ze aarzelde, maar begon toen op dringende toon te praten, zich bijna geen tijd gunnend om adem te halen.

'Een poosje geleden, kort nadat ik was opgepakt wegens

winkeldiefstal, heb ik nog iets stoms gedaan. Ik dacht dat ik eraf was en dat niemand er iets van wist. Totdat ik op zekere ochtend te maken kreeg met een man die ik nog nooit had gezien of van wie ik zelfs nooit had gehoord. Hij begon me te chanteren.'

'Hij dwong Jill voor hem te werken,' vulde Peter aan, met een geruststellende hand op Jills schouder. 'Boodschappen overbrengen. Contact opnemen met bepaalde mensen. Dat soort dingen.'

'Wanneer heb je die man voor het eerst gezien?'

Ze schudde ontkennend haar hoofd. 'Ik heb hem nooit te zien gekregen. Althans, niet voor zover ik weet. Hij geeft me eenvoudig z'n instructies via de telefoon.'

'Maar het is altijd dezelfde man?'

'Ja.'

'Daar ben je zeker van?'

'Heel zeker. Het is steeds dezelfde stem en hij bedient zich altijd van dezelfde naam. Hogarth.'

'Maar zo noemde je mijn vader immers, toen je hem bij Waterloo Station aansprak.'

'Ja, dat weet ik.'

Sam wreef met zijn duim over de binnenkant van zijn middelvinger.

'Werkte mijn vader voor deze Hogarth?'

Ze keek op naar Peter, voor ze die vraag beantwoordde. Hij knikte haar toe, bij wijze van aanmoediging.

'Ja, dat deed hij. Toen ik uw vader aansprak als Hogarth begreep hij meteen dat ik een boodschap voor hem had. Ik heb hem die boodschap onderweg naar de luchthaven overgebracht.'

'Hoe luidde die boodschap?' vroeg Sam zacht.

'Dat Hogarth op het vliegveld op hem zou wachten – dat er iets belangrijks was gebeurd en dat hij z'n reis naar Australië zou moeten uitstellen.'

Sams gezicht verried geen enkele emotie. Hij leek even afstandelijk alsof dit geval niet meer voor hem was dan een routine-onderzoek.

'Waar was m'n vader eigenlijk bij betrokken?'

Opnieuw aarzelde ze voor hem antwoord te geven. 'Verdovende middelen.'

'Je bedoelt heroïne, en dergelijke? Of hasjisj en marihuana?'

'Vroeger werd het grootste deel van de voor de Verenigde Staten bestemde heroïne via Amsterdam vertransporteerd. Nou – daarin hebben Hogarth en uw vader verandering gebracht. Het spul wordt nu naar dit land gebracht en hier vandaan verder verscheept.'

'Naar wat ik begrepen heb,' voegde Peter eraan toe, 'was uw vader daarmee bezig, op de dag waarop hij werd vermoord.'

'Nadat ik hen bij het vliegveld had opgehaald heb ik uw ouders naar een huis in Kent gebracht –'

'In Kent?' viel Sam haar verbaasd in de rede. 'Dus niet in Oxfordshire?'

'Nee, in Kent. In de omgeving van Gravesend. Daar heeft uw vader die bestelwagen opgehaald. Hij moest ermee naar Dover. Helaas is hij zo ver nooit gekomen.'

'Waarom Dover?'

Ze had het duidelijk erg moeilijk. Sam kon echter niet bepalen of ze last had van wroeging, of van de gevolgen van de injectie die haar was toegediend. Peter Brewster klopte haar bemoedigend op de rug en antwoordde in haar plaats.

'Er was een van Hogarths agenten, een zekere Marius, overgekomen van het vasteland, met een zending hasjolie. Hij was zo voorzichtig als de pest en weigerde vierkant met iemand anders dan uw vader zaken te doen. Bovendien wist hij donders goed dat de douane lont had geroken. Daarom stond hij erop dat uw vader hem zou komen ophalen in een bestelwagen met de naam Marius of Rye erop. Hij had Hogarth zelfs een foto van die bestelwagen bezorgd. Het was een naam die hij zelf voor deze gelegenheid had verzonnen en die verder niemand kende. Als uw vader in een andere bestelwagen was gekomen zou Marius hem niet hebben benaderd.'

'Klopt dit allemaal, Jill?'

'Ja, het is allemaal waar.'

'U bent goed op de hoogte, meneer Brewster.'

'Ik herhaal alleen wat Jill me heeft verteld.'

'Wat heeft ze u nog meer verteld?'

Peter wierp een vluchtige blik op Sams gezicht, alsof hij probeerde uit te knobbelen wat de scherpe klank in zijn stem te betekenen had.

'Larry Voss en Phil Morgan werkten eveneens voor Hogarth. Maar er schijnt ruzie te zijn ontstaan, waarna ze geprobeerd hebben de zaak van hem over te nemen.'

'Dus was het Hogarth die Voss heeft gedood,' zei Jill.

'Maar was Phil Morgan niet een vriend van jou?'

'Ik heb hem zo nu en dan geholpen,' gaf ze toe. 'Maar daarvoor bestond maar één reden: ik wilde met alle geweld weten wie Hogarth was. Ik dacht dat ik, als ik eerst maar wist *wie* me eigenlijk chanteerde, veel sterker zou komen te staan.'

'Wat wilde je dan doen?' vroeg Sam enigszins sceptisch.

'Nou, ik wilde met hem breken, uiteraard.'

'En – ben je nog te weten gekomen wie hij was?'

'Nee. Maar wel ontmoette ik een maand geleden een kennis van mij, Chris Morris, in de Prince Hal. Terwijl we daar waren kwam Larry Voss binnen. Hij was in gezelschap van een zekere Walter Randell. Na hun vertrek verscheen er een collega van u, een zekere inspecteur Bellamy.' Ze keek zenuwachtig in Sams richting en vervolgde zonder veel overtuiging: 'Ik weet niet waarom, en het is moeilijk uit te leggen, maar – Ik had de indruk dat een van die mannen Hogarth was. Daarom was ik zo nieuwsgierig naar hen. Dat was ook de reden waarom ik hun telefoonnummers noteerde.'

'Meneer Harvey,' kwam Peter haastig tussenbeide, 'hoe je 't ook bekijkt, Jill bevindt zich in een moeilijke positie. Vanaf het allereerste begin heeft Hogarth haar verdacht gemaakt. U herinnert zich nog wel die film die Corby u heeft laten zien. Veronderstel nu eens dat haar iets overkomt, maar zo dat haar dood op zelfmoord lijkt – wat zullen uw vrienden op de Yard er dan van denken?'

'Ik zou 't niet weten,' zei Sam onschuldig. 'Wat zouden ze moeten denken?'

'Die zullen gaan denken dat er helemaal geen Hogarth bestaat, nietwaar? Die zullen gaan denken dat Jill hem uit haar duim heeft gezogen!'

'Wat wilde u eigenlijk voorstellen, meneer Brewster?'

'Dat Jill zich ergens moet schuilhouden. Nu – voor het te laat is.'

Sam lachte niet om het voorstel, hoe melodramatisch het ook had geklonken. Hij keek met een ernstig gezicht van Jill naar Peter.

'Ik meen dat u me hebt verteld dat u een huisje op het platteland bezit?'

'In Suffolk.'

'Zijn er veel mensen van op de hoogte?'

'Heel weinig.'

'Dan raad ik u aan Jill daar naartoe te brengen.'

Peter Brewster knikte. Het lag er dik bovenop dat Sam een denkbeeld had geopperd dat hij al aan Jill had voorgelegd. Ze pakte zijn hand.

'Hoe lang zou ik daar moeten blijven, denkt u?'

'Totdat meneer Brewster iets van mij heeft gehoord. Maar ik geloof dat jullie geen van beiden eerst naar huis moeten gaan. Vertrek nu naar het huisje in Suffolk, zonder uitstel.'

Peter kneep in Jills hand en stond op. Hij dronk zijn whisky op en lachte Sam dankbaar toe.

'Ik zal de auto gaan halen. Ik heb hem een eindje verder in de straat moeten parkeren. Als ik voor de deur sta zal ik wel even toeteren.'

Sam knikte. 'Ik zal haar beneden brengen.'

Peter liep de gang in. Sam had de sloten niet omgedraaid en de sleutel zat nog in het insteekslot. Hij wilde die juist omdraaien toen er werd gebeld. Daar hij niets wist van de waarschuwing die Sam telefonisch had gekregen, veronderstelde hij dat er een kennis van Harvey voor de deur stond en deed open.

De man die op de overloop stond was groot en donker en straalde arrogant zelfvertrouwen uit. Hij grijnsde breed. Zijn rechter hand hield een zwart automatisch pistool vast. Hij stak het dreigend enkele centimeters naar voren.

'Meneer Harvey, u hebt bezoek.'

Peter Brewster hield het hoofd koel. Hij staarde een poosje naar het wapen, maar begon toen achteruit te lopen naar de kamerdeur.

De bezoeker volgde hem naar binnen, het wapen vast in de hand, waarna hij de voordeur dichttrapte.

'Omdraaien,' beval hij met een sterk East-End-accent. 'Naar de kamer, en geen geintjes!'

Peter draaide zich gehoorzaam om. Hij kon de kamer binnen kijken. De zitbank was ontruimd. Hij liep door de deuropening, vlug genoeg om te zorgen dat de bezoeker zich moest haasten. Achter zich hoorde hij een snelle beweging maken, gevolgd door het geluid van bot op bot en het gekletter van een op de grond gevallen pistool, alsmede een kreet van pijn en verbazing. Tegen de tijd dat hij zich had omgedraaid had Sam het pistool al in zijn hand. De indringer wreef over zijn pijnlijke pols. De doodsbange Jill stond als een zoutpilaar achter de deur.

'Dat was dan een geval van persoonsverwisseling,' zei Sam doodgemoedereerd. 'Ik ben namelijk Harvey.'

De man staarde van de een naar de ander, te kwaad en te verbaasd om zelfs maar een verwensing te uiten.

'Neem Jill mee en verdwijn,' zei Sam tegen Peter. 'Denk aan wat ik je heb gezegd.'

'Jij gelooft zeker niet dat ik bereid ben dit ding te gebruiken, hè?'

Sam zat op een rechte stoel tegenover zijn bezoeker, een veilige afstand bewarend. De ander zat op de zitbank. Buiten, op straat, werd een auto gestart, die snel wegreed.

'Ik ben er verdomd zeker van dat u niet zult schieten,' zei de ander met onbeschaamde zelfverzekerdheid.

'Waarom sta je dan niet eenvoudig op om weg te wandelen, meneer Wilde?'

De mond van de bezoeker viel open.

'Dus u weet wie ik ben?'

'Ik heb je op slag herkend. Jij bent Tom Wilde. Dat haarstukje dat je draagt is helemaal niet slecht, maar heus, aan die neus moet je toch eens iets laten doen. Wanneer hebben ze je losgelaten, Tom? Waarom ben je hierheen gekomen? Wie heeft jou gestuurd?'

Wilde zat onrustig op de bank te schuiven. Van zijn arro-

169

gantie was weinig over.

'Ik zeg niks. Ik kijk wel uit! Ik peins er –'

'Volgens mij zul je wel moeten, Tom. Geloof me, als jij me niet zegt hoe de vork aan de steel zit laat je me geen andere keus. Dan zal ik dit moeten gebruiken.' Sam bracht het automatische pistool wat omhoog. 'Uit zelfverdediging.'

'Hoe bedoelt u – uit zelfverdediging?'

'Tegen de tijd dat mijn collega's hier zijn is de hele boel hier kort en klein geslagen. Ik ben ervan overtuigd dat je vriend Bellamy – die mij, tussen haakjes, zelf voor jouw komst heeft gewaarschuwd – de situatie heel snel zal begrijpen. Hij kan namelijk ontzettend snel van begrip zijn, onze inspecteur Bellamy.'

Met zijn ondervragingsmethoden had Bellamy een benijdenswaardige reputatie in de onderwereld opgebouwd. Wilde haalde een vinger langs de binnenkant van zijn boordje.

'Wat wilde u weten?'

'Wie jou heeft gestuurd.'

'Een zekere Corby. Hij gaf me vijfhonderd ballen en ik moest u bepaalde inlichtingen ontlokken.'

Zoals de meesten van zijn slag zag Wilde, nu hij eenmaal tot de conclusie was gekomen dat hij er het verstandigst aan deed een boekje open te doen, er totaal geen been in zijn opdrachtgever te verraden.

'Wat voor inlichtingen? Waarover?'

'Over een notitieboekje dat van uw vader is geweest.'

'Ga door.'

'Corby en zijn vriendjes willen dat notitieboekje hebben en ze schijnen te denken dat u het in bezit heeft. En als u het niet heeft zult u wel weten waar het uithangt, daarvan zijn ze overtuigd.'

'Waar heb je deze Corby ontmoet?'

Wilde had een schorre stem. Zonder zijn hand voor z'n mond te houden hoestte hij, met een schrapend geluid. 'In een bodega.'

'Was Corby alleen toen je hem sprak?'

'Luister eens, kan ik niet iets te drinken krijgen voor we hiermee doorgaan?'

Sam negeerde het verzoek. 'Was Corby alleen toen je

170

hem ontmoette?'

'Ja, hij was alleen, maar na ons gesprek, dat ongeveer een kwartier duurde, werd hij aan de telefoon geroepen.'

'Weet je ook wie er belde?'

'Hij stond in een cel,' antwoordde Wilde onwillig. 'Ik kon niet horen wat-ie te zeggen had.'

'Dat heb ik je ook niet gevraagd.'

'Het zou iemand geweest kunnen zijn die Hobart heette, of zoiets.'

'Hogarth, misschien?'

'Ja, dat klopt,' grijnsde Wilde met geveinsde verbazing. 'Hogarth. En nadat-ie met die Hogarth had gesproken bood-ie me vijfhonderd ballen.'

Omstreeks het moment waarop Sam Addlestone bereikte waren de meeste inwoners al naar bed. Achter slechts enkele ramen brandde licht, in de zijstraat waarin hij zijn Porsche parkeerde. Toen hij uitstapte zag hij op de hoek een paar donkere gedaanten staan, die hem in het oog hielden. Hij zag dat het een stel motorduivels was, gekleed in gitzwarte leren pakken. Ze hadden hun motoren op de standaard gezet en hun helm op de zitting gelegd. Roerloos en zwijgend sloegen ze gade hoe Sam de Porsche afsloot. Hij nam geen notitie van hen, maar begon de straat door te lopen, lettend op de huisnummers.

Hij passeerde één enkele kroeg, die al een half uur geleden dicht was gegaan, zodat er op de parkeerplaats ernaast nog maar twee auto's stonden. Toen hij een van deze auto's passeerde liet het stelletje dat erin zat zich nog lager onderuit zakken. Er waren nog enkele voetgangers op straat, wier gestalten vaag zichtbaar waren in het schaarse licht van de straatlantaarns. Hij had ongeveer honderd meter gelopen toen hij merkte dat iemand hem volgde. Sam stapte plotseling het portiek van een winkel in en nam ruimschoots de tijd voor het opsteken van een sigaret. Hij zag een man langs slenteren die de kraag van zijn jas had opgezet en zijn beide handen diep in zijn zakken had gestoken. Even later liep Sam door.

Het huisnummer ontbrak aan de gevel van Corby's winkel. Een reclamebord boven de etalage verkondigde: *Antiek: in- en verkoop van gebruikte stijlmeubelen.* Te oordelen naar wat hij via de winkelruit kon zien betrof het eerder afgedankte huisraad dan antiek. De kozijnen van de ramen moesten hoognodig een verfje hebben en kennelijk was het al lang geleden sinds de ramen waren gelapt. De winkel grensde aan een smalle, donkere steeg. Sam trok zijn zaklantaarn uit de linker zak van zijn jas en liet de lichtbundel in de steeg schijnen. Zes meter verder zag hij een deur in de zijmuur van de winkel. Hij overtuigde zich ervan dat de straat verlaten was, voor hij de steeg binnenstapte. Naast de drukknop van een bel was een klein rechthoekje verlicht, boven het roostertje van een intercomluidspreker. Er was geen naamkaartje in het rechthoekje aangebracht. Sam drukte op de belknop. Hij meende ergens ver weg een vage zoemer te horen, maar kreeg geen gehoor.

Opnieuw drukte hij de knop in. Opeens begon de luidspreker vlak bij zijn oor te kraken. Corby's stem was ternauwernood te herkennen.

'Wie is daar?'

'Ben jij dat, Corby?' vroeg Sam met schorre stem en in z'n beste Cockney-accent.

'Ja. Wie is daar?'

'Tom hier. Tom Wilde. Je bent een mazzelaar. Ik ben erachter gekomen.'

Het duurde even voor Corby antwoordde.

'Kom maar naar boven.'

Het elektrische deurslot begon te zoemen en de deur ging uit zichzelf een paar centimeter open. Sam duwde hem verder open en stapte een kleine vestibule binnen, die helemaal leeg was, op een deurmat en een ouderwetse kapstok-paraplubak van Victoriaans model na. Een steile, smalle trap kwam uit op een overloop, verlicht door een 15-Watts gloeilamp.

Sams hand rustte op de kolf van zijn revolver toen hij behoedzaam de krakende trap beklom. De deur die uitkwam op de overloop was met een ronde deurknop uitgevoerd, zonder slot. Eronder was een smalle streep licht te zien. Aan de andere kant van de deur heerste stilte.

Sam trok de revolver uit zijn zak. Hij draaide de knop van de deur om en trapte hem tegelijkertijd met zijn rechter been open, in éen vloeiende beweging. Met een daverende klap smakte de deur tegen de muur. Het licht stroomde door de deuropening naar buiten, naar de overloop.

Langzaam richtte Sam zich uit zijn half gebukte houding op. Hij liet de hand waarin hij de revolver vasthield zakken.

Leo Corby stond in het midden van de kamer naar de deur te staren, in afwachting van zijn bezoeker. Hij werd geflankeerd door twee agenten in uniform. Corby's rechter pols was met een stel handboeien aan de linker pols van de agent aan zijn rechterzijde geketend. Iets afzijdig van het groepje stond een lange, in burger geklede figuur, met in zijn hand een revolver die als twee druppels water leek op het wapen in Sams hand.

'Harvey!' riep de man totaal verrast uit. 'Wat voer jij voor de donder in –'

'Goeienavond, Bellamy,' antwoordde Sam.

Nadat Corby door de beide agenten was afgevoerd beduidde Bellamy Sam met een grootmoedig gebaar plaats te nemen in een gecapitonneerde Victoriaanse leunstoel, terwijl hij zelf in een hoge, brede stoel ging zitten die bekleed was met gobelinachtig weefsel. Corby's pied-à-terre in Addlestone bestond uit éen enkele kamer, gemeubileerd met winkeldochters uit zijn zogenaamde antiekhandel, met inbegrip van een kolossaal ledikant met koperen spijlen. Het beste meubel in de kamer was een schitterend bureau. Op dat bureau stond iets dat er al heel slecht bij paste: een hypermodern telefoontoestel met een telefoonbeantwoorder ernaast. Ook het grote televisietoestel met een videorecorder eronder vloekte met de rest van het interieur. Tussen de stapels in leer gebonden folianten langs een van de muren stond ook een doos champagne, waarvan het deksel was opengeritst. Kennelijk had Corby iets te vieren gehad, want op een latafel stond een lege champagnefles.

'Zodra ik begreep wat Wilde van plan was heb ik je opgebeld,' legde Bellamy Sam uit, in antwoord op zijn vraag. 'En je had geluk, Harvey. Ontzaglijk veel geluk, naar mijn me-

173

ning. Als Peter Brewster niet bij je was geweest zou je nu niet hier zijn, daar wil ik alles om verwedden.'

'Hoe wist je het van Wilde?'

'Ik had een van mijn mannetjes Corby laten schaduwen.' Bellamy had zijn gebruikelijke zelfingenomen houding weer hervonden en was weer bezig zijn ego op te blazen. 'Hij wist dat Wilde contact had gehad met Corby en hoorde iets waaruit hij opmaakte dat Wilde van plan was een bezoek bij jou af te steken. Ik heb toen ruggespraak gehouden met een van m'n vaste informanten, en die kon het verhaal bevestigen.'

'Nou – in ieder geval bedankt voor je waarschuwing, Bellamy. Ik hoop me nog eens te kunnen revancheren.'

'En *ik* hoop dat dàt niet nodig zal zijn.'

Sam wierp hem een vragende blik toe, toen de zoemer van de intercom overging.

'Dat zal Sinclair zijn,' zei Bellamy. 'Ik heb hem verzocht zo snel mogelijk hierheen te komen.'

De hoofdinspecteur had zich verheugd op een avondje vroeg naar bed, tegenover het televisietoestel dat hij in zijn slaapkamer had staan. Hij had Bellamy wel in stukken kunnen scheuren vanwege het feit dat hij hem rond twaalf uur 's nachts naar Addlestone had laten komen, maar toen hij Sam zag kalmeerde hij. Terwijl hij in de kamer liep rond te neuzen en de vele snuifdozen, sigarenkistjes, met paarlemoer ingelegde juwelenkistjes en andere snuisterijen een voor een oppakte, liet hij zich door Bellamy op de hoogte brengen over Corby's arrestatie. Daarna vertelde Sam hem over het bezoek dat Tom Wilde bij hem had afgestoken.

'En waar hangt die op dit moment uit?'

'In een cel op het bureau aan Brompton Square.'

'Wel, nu weten we met zekerheid dat ze achter dat notitieboekje van jouw vader aan zaten, Sam.'

'Heeft Osgood die code al ontraadseld?' vroeg Sam aan Bert.

'Hij heeft vanavond zijn rapport ingediend,' antwoordde Bellamy. 'Ik heb het aan u doorgestuurd, meneer, met een begeleidend memo.'

Bert lachte fijntjes en knipoogde ongemerkt naar Sam.

'Volgens Osgood staan er in het boekje alleen drie nummers. Drie kentekens van auto's, om precies te zijn.'

'Verder niets?'

'Niets van belang. Tenzij Osgood er helemaal naast zou zitten, maar dat betwijfel ik sterk. Volgens hem zijn de overige details niet relevant en dienen ze alleen als camouflage voor de kentekens.'

'Heb je die wagens al achterhaald?'

'Zeg eens Sam, je moet ons wel even de tijd gunnen! Osgood is er net mee voor de draad gekomen.'

'Hoe luiden die kentekens?'

Bert ging in de stoel met gecapitonneerde bekleding zitten en haalde zijn notitieboekje voor de dag. Hij bevochtigde zijn wijsvinger en bladerde het snel door. 'Ah, daar hebben we het. MKO 623 P, THK 964 N en SUX 876 M.'

'SUX 876 M?' herhaalde Sam vragend.

'Ja. Komt dat kenteken jou bekend voor?'

'Inderdaad. Ik heb 't in elk geval een keer gezien.'

'Waar?'

'Op een foto die in bezit was van Larry Voss.' Bert scheen er geen touw aan vast te kunnen knopen. 'Op de avond,' vervolgde Sam, 'waarop Larry Voss van kant werd gemaakt trof ik twee foto's in zijn koffer aan. Op de eerste was een jacht te zien – met de naam *Easy Living* op de voorsteven.'

'Daar weten we inmiddels iets meer over,' onthulde Bellamy Sam. 'We wisten al dat onze vriend Corby er de eigenaar van was. Vandaar dat de CID in Dorset het gistermiddag met een bezoek heeft vereerd. Ze vonden aan boord een hoeveelheid verdovende middelen die ruim een kwart miljoen pond waard moet zijn.'

Sam probeerde zijn ergernis over het feit dat deze belangrijke inlichting niet aan hem was doorgegeven te verbergen.

'Wat stond er op die andere foto, Sam?' moedigde Bert hem aan.

'Het was een opname van een auto die mijn vader heeft bezeten. Een Marina. Kenteken SUX 876 M. Hij heeft me verteld dat hij die auto een maand of drie geleden had verkocht.'

'Weet je ook aan wie?'

'Nee. Ik herinner me dat ik hem er destijds nog naar heb

175

gevraagd, maar hij heeft me het nooit verteld.'

'Wat moest Larry Voss nou met een foto van je vaders auto?'

'Ik kan maar één reden bedenken. Hij wilde er zeker van zijn dat hij de wagen zou herkennen zodra hij hem zag.'

'Nu kan ik je niet meer volgen,' zei Bellamy, terwijl hij de lege champagnefles waaraan hij had staan ruiken neerzette. Sam kon niet goed bepalen of de afkeurende uitdrukking op zijn gezicht verband hield met de fles of op hemzelf betrekking had.

'Dat geldt ook voor mij,' viel Bert hem bij. 'Waar denk je aan, Sam?'

'Vlak voor Tom Wilde kwam opdagen kreeg ik bezoek van Jill Foster. Ze had zich door haar vriendje, Peter Brewster, ervan laten overtuigen dat ze er het beste aan zou doen open kaart met mij te spelen.'

Bellamy liet zich altijd dadelijk op stang jagen door alles wat er ook maar in de verste verte op wees dat Sam zich met de zaak bemoeide en hem het gras voor de voeten probeerde weg te maaien. Maar er kwam verandering in zijn houding toen hij begreep hoe verbaasd Sam was geweest over het bezoek van Jill.

'Maar wat zijn we er uiteindelijk mee opgeschoten?'

'Ik heb een theorie ontwikkeld, Bert. Het is natuurlijk niet meer dan een hypothese, dat begrijp je, maar –'

'Spui eens op.'

Bert had al geruime tijd naar de doos champagneflessen zitten staren. Terwijl hij Sam liet praten liep hij erheen, nam er een fles uit en begon het etiket te bestuderen.

'Hoewel mijn vader voor Hogarth werkte, heb ik 't gevoel dat hij – tja, hoe zal ik het noemen – desondanks voor eigen rekening bezig was. Ik heb zo'n idee dat we, als we de auto's vinden met de kentekens uit het notitieboekje, meteen ook voorraden verdovende middelen zullen aantreffen.'

'Verborgen in die auto's, bedoel je?'

'Ja.'

Bert had een besluit genomen. Hij grijnsde Sam vluchtig toe en begon het folie rond de kurk van de champagnefles eraf te halen.

'Dus jouw vader eigende zich een zending toe die eigenlijk voor Hogarth was bedoeld?'

'Juist. Voss moet lucht hebben gekregen van dat wat mijn vader van plan was. Daarom had hij een foto van een van die auto's bij zich, en daarom hebben hij en Morgan mijn flat doorzocht. Ze dachten, net als Hogarth, dat ik het notitieboekje in m'n bezit moest hebben.'

'Hoeveel mensen weten dat jij ruggespraak met ons hebt gehouden en dat wij dat notitieboekje hebben?'

'Jij en ik, en verder Bellamy hier, en Osgood.'

'Verder niemand?'

'Voor zover ik weet niet, nee. In ieder geval heb *ik* er met niemand over gesproken.'

Bert was bezig met zijn beide duimen de kurk omhoog te duwen, geholpen door de in de fles heersende druk. Bellamy deed alsof hij niets in de gaten had.

'Wie is Hogarth eigenlijk? Heb jij er enig idee van?'

'Ja, ik heb wel enig idee, Bellamy. Bovendien heb ik een plannetje om hem – of haar – te ontmaskeren. Alleen is het de vraag of jij en Bert bereid zouden zijn ermee in te stemmen.'

Met een scherpe knal schoot de kurk los. Bert hield de fles onder een hoek van vijfenveertig graden om de vloeistof niet teveel te laten bruisen.

'Pak jij even dat stel gegraveerde glazen daar, Bellamy,' zei Bert uitnodigend. 'Laten we dit spul even keuren, terwijl we naar Sams plan luisteren.'

'Dag Margaret, kom binnen!'

'Ben ik niet te vroeg voor je?'

'Geen seconde,' verzekerde Sam zijn bezoekster harte-lijk. 'Ik ben blij je te zien.'

Toen ze de zitkamer binnenstapten gebaarde Sam naar de telefoon. 'Je wilt me wel even verontschuldigen, goed? Ik moet even dit telefoontje afmaken.'

Margaret knikte en begon haar mantel los te knopen. 'Vanzelfsprekend. Ik heb geen haast.'

Sam nam de hoorn weer op.

'Sorry, George... Tja, kijk eens – als jij denkt dat het zo belangrijk is? Zou je misschien kans zien het te komen bren-gen?... Vanavond?...Ja, ik blijf de hele avond hier... Wel-nee, dat is prima. Ik ben benieuwd... Wat zit er volgens jou in die enveloppe?'

Hij draaide zich om teneinde Margaret een aanmoedi-gend knikje te geven. Ze was al gaan zitten en streek nu haar rok glad.

'Een wat?... Ik kan me niet herinneren dat m'n vader ooit iets heeft gezegd over een notitieboekje, dus erg belangrijk kan het niet zijn... Nou ja, neem het in ieder geval mee, dan kunnen we het eens bekijken... Ja, zal ik doen... Tot van-avond dan, George. Bedankt voor je telefoontje.'

Hij legde de hoorn op de haak en trok een gezicht. 'Neem me niet kwalijk, Margaret. Dat was George Adams, de ad-vocaat van mijn vader. Ik geloof dat je al kennis met hem hebt gemaakt. Een aardige kerel, maar hij kan ontzettend omslachtig doen. Nou, wat zou je zeggen van een drankje?'

Margaret aarzelde:

'Ik neem zelf een flink glas sherry,' zei Sam aanmoedi-gend, terwijl hij naar het barretje liep. 'Waar gaat je voor-keur naar uit?'

'Een klein glaasje sherry graag.'

'Maar natuurlijk.' Sam nam de stop van de karaf en begon twee glazen vol te schenken, van flink formaat. 'Ik neem aan dat je in de krant al hebt gelezen wat er is gebeurd. Ik bedoel, toen je die avond bij me wilde langskomen, maar geen gehoor kreeg.'

'Ja, dat heb ik gelezen, maar ik moet je bekennen dat ik het een nogal verward verhaal vond. Hoe is het precies gegaan?'

'Ik was het huis uit, toen een onbekende man – een zekere Morgan – mijn flat binnendrong en hier werd vermoord. Wat hij hier uitvoerde, wie hem van kant heeft gemaakt en waarom hij werd vermoord – allemaal vragen waarop ik geen antwoord zou kunnen geven.' Hij overhandigde haar een van de glazen sherry. 'Je zei me door de telefoon dat de deur openstond, toen jij hier 's avonds arriveerde?'

'Hij stond op een kier. Ik belde aan. Ik heb zelfs verscheidene keren gebeld, maar er gebeurde niets. Uiteindelijk kwam ik tot de conclusie dat je waarschijnlijk even de deur uit was gegaan – misschien naar een van de buren.'

'Hoe laat was dat ook alweer?'

'Omstreeks negen uur.'

'En op dat moment heb je ook die jongeman gezien, over wie je het had?'

Sam stond op haar neer te kijken, nippend van zijn sherry.

'Niet toen ik vertrok. Ik zag hem toen ik naar binnen ging, net toen ik onderaan de trap stond. Maar zoals ik je al heb gezegd – ik heb niet veel notitie van hem genomen. De reden waarom ik je wilde spreken was dat ik zo'n idee had dat –'

Ze laste een pauze in en frunnikte onrustig aan het snoer parels dat ze om had.

'Wat voor idee, Margaret?'

'Dat er mensen in het huis van je vader zijn geweest om het te doorzoeken.'

'Wat? Pennymore, bedoel je?'

'Ja. Toen ik de laatste maal in het huis was, eergisteren, had ik de indruk dat iemand me voor was geweest.'

'Wel, wel,' knikte Sam peinzend. Blijkbaar was hij geneigd haar indruk serieus te nemen. 'Je zou wel eens gelijk kunnen hebben.'

'Misschien was 't alleen verbeelding van me, maar ik heb zo'n idee dat het geen verbeelding wàs. Werkelijk niet.'

179

Sam maakte gebruik van zijn aanstekelijke grijns om dit soort vervelende dingen van tafel te vegen. Hij trok zijn stoel wat dichter naar haar toe.

'Hoe dan ook, Margaret, ik ben blij je te zien. Bedankt voor je komst! Skol!'

Ze bracht haar glas op gelijke hoogte met dat van hem, waarna ze het bekeek met het soort glimlach dat de indruk wekt dat er achter dat volwassen uiterlijk nog een meisjesachtige geest schuilgaat.

'En dit noem jij een *klein* glaasje sherry?'

Margaret Randell bleef langer dan Sams bedoeling was geweest, en ze flirtte met hem op die ongedwongen manier die oudere vrouwen tegenover jongere mannen aan de dag kunnen leggen. Uiteindelijk wist hij haar alleen te lozen door haar te beloven dat hij eens met haar in de Leopard Club zou gaan eten.

Na haar vertrek resteerde hem nog net genoeg tijd om de schetsen op te zoeken die ze hem bij haar eerdere bezoek in de tas met het opschrift Marius of Rye was komen brengen. Hij haalde ze uit de grote bruine enveloppe en legde ze zodanig neer dat zijn volgende bezoeker ze onmogelijk over het hoofd zou kunnen zien.

Hubert Morris belde om tien voor een aan, slechts vijf minuten na het tijdstip dat Sam hem had voorgesteld. Hij scheen wat nerveus, toen hij de kamer binnenstapte.

'Sorry, maar ik ben even aan 't telefoneren,' verontschuldigde Sam zich. 'Ik zal het niet te lang maken. Maak het u gemakkelijk.'

Hij nam de hoorn op, die hij naast het toestel had gelegd.

'Excuus, George! Er kwam net een kennis binnen... Wat zei je ook alweer?... Ja. Ik blijf de hele avond thuis... Tien uur?... Uitstekend... Ik kan me nauwelijks voorstellen dat dit notitieboekje dat je hebt van belang is, anders zou m'n vader er wel met me over hebben gesproken... Hoe dan ook, neem het toch maar mee... Ja, natuurlijk zal ik dat doen. Tot vanavond dan maar, George!'

Zuchtend hing hij op en wendde zich tot zijn bezoeker.

'George Adams, de advocaat van m'n vader. Een heel

aardige vent, maar hij is wat aan de zorgelijke kant. Ga toch zitten, meneer Morris.'

Hubert ging niet zitten. Hij staarde nog steeds naar de schetsen.

'Hebt u die gemaakt?'

'Wat? O, die schetsen?' Sam schoof ze in elkaar en liet ze in de enveloppe glijden. 'Lieve hemel, nee!'

'Nou, degene die ze heeft getekend moet een bewonderaar van mij zijn.'

'Waarom zegt u dat?'

'Omdat het kopieën zijn van mijn werk, m'n beste! Daarom! En geen slechte ook! Ik voel me gevleid. Meestal moet je eerst doodgaan voor dit soort dingen je overkomt.' Eindelijk gaf Hubert gehoor aan de uitnodiging om te gaan zitten. 'Ik wist niet wat ik hoorde, toen ik uw boodschap kreeg. Ik veronderstel dat het verband houdt met uw nieuwe boek?'

'Ik heb kortgeleden met Scofield gesproken. Toen ik hem zei dat m'n nieuwe boek al behoorlijk begint op te schieten vroeg hij me of ik contact met u wilde opnemen. Hij zou graag zien dat u onmiddellijk aan de illustraties begint.'

'Nog voor u het boek voltooid hebt?'

'Ja. Ik dacht dat het geen kwaad zou kunnen als we alvast een babbeltje maakten. In ieder geval voorkomen we ermee dat Scofield u te vroeg gaat lastig vallen.'

'Dat is zo. Geen slecht idee.'

'Maar laat me eerst iets voor u inschenken. Wat mag het zijn?'

Sam stond al bij het barretje.

'Ik drink rond dit uur zelden of nooit. Maar misschien heeft u een klein glaasje sherry voor me?'

'Vanzelfsprekend,' zei Sam, waarbij er een vage glimlach rond zijn mond speelde.

Peter Brewster kwam een poosje nadat Sam zijn gebruikelijke kop thee 's middags had leeggedronken opdagen. Hij was opgehouden door het drukke verkeer vanuit Londen, toen hij omstreeks het spitsuur de buitenwijken bereikte.

'Goeiemiddag, meneer Brewster. Fijn dat u kon komen.'

'U zei dat het dringend was.'

'Ja. Komt u binnen.'

'Is er iets gebeurd?' Vlug beende Brewster de flat in, kennelijk geagiteerd. 'Iets dat verband houdt met Jill?'

'Nee, dat niet. Hoe maakt ze het, tussen haakjes?'

'Ze lijkt al een stuk beter. Ze is opgelucht nu ze u eindelijk de waarheid heeft verteld. Ik wou alleen dat ze al veel eerder vertrouwen in u had gesteld.'

'Ik wilde u om een gunst vragen, meneer Brewster, maar voor ik u vertel waarom het gaat moet ik even dit telefoontje afhandelen. Dus u wilt me wel even verontschuldigen, hoop ik?'

'Maar natuurlijk.'

'Ik heb al de hele middag pogingen gedaan de advocaat van mijn vader aan de lijn te krijgen, maar hij schijnt tamelijk ongrijpbaar te zijn. Ik heb het afgelopen uur zeker al vijf, zes keer naar zijn kantoor gebeld. Misschien wilt u zelf even iets inschenken?'

'Mag het Scotch zijn?'

'U gaat uw gang maar.'

Glimlachend nam Sam de hoorn van het bureau.

'George? M'n excuus voor de interruptie. Maar over dat notitieboekje gesproken...'

Het was die avond laat geworden, toen Sam George Adams eindelijk uitliet. Maar in plaats van rechtstreeks terug te lopen naar de zitkamer, stapte hij de kleine kapstoknis in de gang binnen. Hij knipte het licht niet aan. Het matglazen raampje stond op een kier, zodat hij omlaag kon kijken op straat. Hij zag George Adams beneden hem op de stoep verschijnen – een gedistingeerde gedaante in donkere overjas, die een aktentas onder zijn arm droeg. De jurist stak de rijweg over en ontsloot het portier van zijn Rover. Hij startte de motor en reed weg.

Na het verdwijnen van de auto leek het plein totaal verlaten. Omstreeks zonsondergang waren de hekken van het park aan de overkant van het plein gesloten. Het schijnsel van de straatlantaarns verlichtte pas gemaaid gras. De gebruikelijke collectie donkere, anonieme auto's was langs de hekken van het park geparkeerd. Een stuk of zes wagens

stonden langs de gele stoeprand voor de huizen, waar over-
dag niet geparkeerd mocht worden. Vanuit zijn uitkijkpost
kon Sam niet zien of er in deze auto's mensen zaten of niet.
Een rode stormlamp, een eindje verderop, gaf aan dat de
werklui die de straat hadden opgebroken nog steeds niet
klaar waren met hun karwei.

Sam ging terug naar de zitkamer. De val was opengezet.
Als hij er met al zijn overwegingen niet naast zat kon hij bin-
nenkort bezoek verwachten van degene die gebruik maakte
van de schuilnaam Hogarth.

Hij liet de deuren naar de slaapkamer en de gang op een
kier staan en knipte alle lichten uit, behalve de staande lamp
achter de stoel waarin hij placht te zitten lezen. Op het lage
tafeltje ernaast legde hij een in leer gebonden notitieboekje
neer, waarop de initialen van zijn stiefvader waren aangebracht. Daarna pakte hij een boek met de titel *Born Free* uit
zijn boekenkast en maakte het zich gemakkelijk in de leunstoel.

Hoe lang hij zou moeten wachten was onmogelijk te bepalen.

De kerkklok aan de overkant van het plein sloeg het halve
uur, en daarna het derde kwartier. Sam zat nog steeds te lezen en te luisteren. Vanuit ergens achter in het huis hoorde
hij een zacht, metaalachtig en vibrerend geluid, alsof
iemand zachtjes op de laagste bassnaar van een reusachtige
harp had getokkeld. Het geluid werd vrijwel meteen ver-
drongen door dat van de dieselmotor van een voorbijrijden-
de taxi.

De kraan met het versleten leertje in de keuken druppel-
de hardnekkig. Het geluid scheen voortdurend sterker te
worden, al naar gelang zijn oren beter afgestemd raakten op
de stilte. Toen de kerkklok eerst het vierde kwartier en meteen daarna elf uur begon te slaan, hoorde hij vanuit zijn
slaapkamer een zacht schrapend geluid, dat deed denken
aan een schaatser die een scherpe bocht over het ijs maakt.
Nog steeds bleef hij roerloos zitten.

Het gerinkel van de deurbel liet hem, ondanks het feit dat
hij het had verwacht, opschrikken. Hij pakte het notitieboekje op en liet het in zijn zak glijden. Toen stond hij op en

liep de gang in.

De bel rinkelde opnieuw toen Sam de deur opende.

'O, Sam, ik weet niet wat je wel van me zult denken, nu ik zo laat nog bij je aanbel, maar ik *moet* je spreken. Er is iets heel uitzonderlijks gebeurd. Goddank was je nog niet naar bed!'

'Kom maar binnen, Margaret.' Vlug keek hij langs de trap, terwijl hij de deur uitnodigend voor haar openhield. Er was verder niemand te zien.

'Je zult je misschien afvragen waarom ik niet even heb gebeld,' zei ze, 'maar ik vond dat ik je onder vier ogen moest spreken.'

Margaret stond met wijd opengesperde ogen voor hem, haar tasje krampachtig vasthoudend. Haar wangen waren bleker dan gewoonlijk.

'Kom binnen,' herhaalde hij.

Aarzelend stapte ze naar voren, na eerst over haar schouder te hebben gekeken. Zelfs nadat hij de deur achter haar had gesloten bleef ze als vastgenageld staan.

'Wat is er gebeurd, Margaret? Je ziet eruit alsof je een spook hebt gezien.'

'Ik moet alleen even bijkomen, het gaat zo wel weer –'

Hij ging haar voor naar de kamer. Op de drempel bleef hij plotseling staan. In het midden van de kamer stond Walter Randell, met verwarde haren en een kostuum dat nogal had geleden van het beklimmen van de brandtrap en een klauterpartij door het raam. In zijn hand hield hij een stiletto die als twee druppels water leek op het mes waarvan Sam het heft uit de rug van Phil Morgan had zien steken.

'De kamer in,' zei een stem achter hem, nauwelijks herkenbaar als die van Margaret Randell.

Hij draaide zich om. Ze had zich niet bezondigd aan de fout die Voss had gemaakt en hield ruim afstand van hem. Het automatische pistool in haar hand was klein, maar niettemin dodelijk genoeg. En ze zag eruit alsof ze wist hoe ze ermee om moest gaan.

'Wie van jullie tweeën is eigenlijk Hogarth?' vroeg Sam, toen hij Walter weer aankeek.

'Je mag kiezen, Harvey,' antwoordde deze. 'Ik veronderstel dat je weet waarvoor we zijn gekomen?'

'Dat lijkt me niet moeilijk te raden. Jullie zijn laat. Ik had jullie al een uur eerder verwacht.'

'Waar is dat notitieboekje?'

Sam deed een stap naar voren. 'M'n beste Randell, of Hogarth of hoe je je ook wenst te noemen, ik dacht dat je zakenman was. Je verwacht toch zeker niet dat ik je dat notitieboekje zo maar overhandig? De informatie die erin staat is een massa geld waard, dus waarom zou ik 't je in hemelsnaam gratis moeten afstaan? Ik stel voor dat je een bod doet. Waar zullen we beginnen? Vijfduizend, tienduizend...'

'Hij probeert tijd te winnen,' zei Margaret.

'Probeer niet de handige jongen uit te hangen,' waarschuwde Walter. 'Je vader probeerde me te belazeren. Ik raad je dan ook aan geen poging te doen om zijn voetsporen te drukken.'

'Dat is wel het laatste waaraan ik behoefte heb, dat verzeker ik je.'

'Verknoei onze tijd niet!' zei Margaret achter hem. Toen hij naar voren liep was ze hem gevolgd, zodat ze nu op de drempel stond van de kamerdeur. 'Je hebt gezien,' zei Randell, 'wat Morgan is overkomen.'

'Ik ben Morgan niet. En laat ik je een vriendschappelijke raad geven, meneer Randell. Als je soms probeert iets stoms te doen kun je er maar beter niet een van je manchetknopen bij verliezen.'

'Dus je hebt die manchetknoop zien liggen?'

'Dadelijk toen ik de flat binnenstapte.'

'Waarom heb je hem dan niet opgeraapt?'

'Dat wilde ik juist doen toen ik Morgan hoorde kreunen –'

'Morgan was dood. Hij was morsdood toen ik bij hem wegging.'

Sam schudde zijn hoofd, maar probeerde Walters aandacht met zijn blik vast te houden. 'Hij stierf onderweg naar het ziekenhuis, vlak nadat hij me het een en ander had toegefluisterd.'

'Hij liegt, Walter,' zei Margaret. 'Heus, hij probeert alleen tijd te winnen. Ga in die stoel daar zitten, Harvey!'

Ingesloten tussen een stiletto en een pistool had Sam geen

185

andere keus dan te gaan zitten. Hij koos echter een rechte stoel uit.

Walter Randell kwam recht voor hem staan.

'Waar is dat notitieboekje van je vader?'

Sam zei niets.

'Zoek eens in de zakken van de ellendeling,' stelde Margaret voor. Walter hield de stiletto nog altijd in zijn hand. Hij bracht de punt ervan nu tot op enkele centimeters afstand van Sams keel. Zijn linker hand verkende Sams zakken en bracht plotseling het notitieboekje tevoorschijn. De naaldscherpe punt van het stiletto beroerde Sams huid. Randell liet het notitieboekje in zijn eigen zak glijden en bracht daarna zijn gezicht vlak voor dat van Sam. Bij wijze van uitzondering behoefde hij eens niet zijn bril te verstellen. De blik in zijn ogen getuigde niet van welwillendheid.

'Zo, Harvey, en nu zullen we eens zien hoe –'

Sam zou nooit weten of hij het mes werkelijk in zijn keel zou hebben geplant. Vanuit de gang was een zacht schrapend en metaalachtig geluid hoorbaar.

'Er is iemand bij de voordeur!' riep Margaret. 'Wegwezen, Walter!'

Walter was al uit zijn blikveld verdwenen. Hij hoorde hen naar de deur van zijn slaapkamer lopen en stelde zich voor hoe Margaret achterwaarts terugweek, met het pistool op zijn borst gericht. Hij verroerde zich niet.

Toen viel de slaapkamerdeur met een slag dicht. Sam ontspande zijn vuisten en draaide zijn stoel om. Hij stond niet op maar bleef rustig op zijn stoel de verdere ontwikkelingen volgen. Er lag een vage glimlach op zijn gezicht.

Na misschien tien seconden vloog de slaapkamerdeur weer open en verscheen Margaret opnieuw op het toneel, met haar echtgenoot op haar hielen. Terwijl ze door de kamer stormden wist Sam dat dit voor hem het gevaarlijkste ogenblik ging worden. Met vertrokken gezicht richtte Margaret het pistool op hem. Hij dook zijdelings weg achter het bureau om dekking te zoeken. De kogel boorde zich in het hout.

Hij hoorde hun voetstappen, toen ze zich door de gang haastten, gevolgd door het geluid van de voordeur, die open werd gerukt. Maar plotseling werden alle bewegingen gestaakt.

Een bekende stem zei: 'Nee maar, goeienavond, meneer Randell. Mogen we u heel even ophouden?'

Sam krabbelde op de been en keek over zijn bureau heen. Margaret en Walter trokken zich langzaam terug van de voordeur. De lange Bellamy, een ontzagwekkende figuur op dit triomfantelijke moment, dreef hen voor zich uit, geflankeerd door twee agenten in uniform. Van wapens was niets meer te zien, aangezien Margaret haar pistooltje al had laten vallen.

Op het moment dat Walter en Margaret Randell achterwaarts de kamer inschuifelden stapten de hoofdagent en agent die via de brandtrap de flat waren binnengekomen juist de slaapkamerdeur door.

'Nou Bellamy, je hebt er wel de tijd voor genomen,' zei Sam, het plekje betastend waar de punt van de stiletto in zijn huid had geprikt.

Pas op dat moment hervond Margaret Randell haar stem. Ze liet haar masker van welopgevoede dame volkomen vallen.

Sam moest een halve minuut lang naar de stroom van verwensingen luisteren, voordat hij ertussen kon komen.

'Nee, werkelijk, Margaret, let toch wat op je woorden! De taal die jij uitslaat! Voor iemand die zo eenzelvig is beschik je over een opmerkelijk vocabulaire!'

De werkkamer van Bert Sinclair was onnatuurlijk netjes. Nu de zaak Marius of Rye was opgelost, was al het materiaal dat er betrekking op had in ordners opgeborgen en doorgestuurd naar de afdeling die het proces moest voorbereiden. Berts aan kant gebrachte bureau was gereed voor het volgende geval dat de hoofdinspecteur in de schoot zou worden geworpen.

Zijn secretaresse had zojuist twee kopjes koffie geserveerd en schonk nu Sam een lachje, alvorens zich terug te trekken. Sam nam een van de koppen en ging in de enige makkelijke stoel in het vertrek zitten. Bert stond tegen de rand van zijn bureau geleund de vier klontjes suiker om te roeren die hij in zijn koffie had laten vallen.

'Die twee wagens hebben we kunnen vinden, Sam. MKO 623 P en SUX 876 M. Je vader had ze in een loods op het terrein van de handelsbeurs in Slough verborgen, blijkbaar met de bedoeling ze later op te halen. De douane was in de wolken met deze vondst. Nu al is er tweehonderd kilo hasjolie opgespoord, en dat terwijl we die derde auto nog niet hebben ontdekt.'

Sam scheen Berts blijdschap niet te kunnen delen. Hij knikte somber en nam een teug van de hete koffie.

'Neem me niet kwalijk, Sam,' zei Bert vlug, op andere toon. 'Het spijt me van je ouders, werkelijk. Het spijt ons allemaal. Ik hoop alleen dat de media het niet al teveel zullen opkloppen.'

'Ik ben er persoonlijk van overtuigd dat m'n moeder niets van Jasons praktijken heeft geweten. In ieder geval niet voor ze op London Airport waren. Alleen ben ik bang dat het daarna weer het oude liedje was: "Wat goed is voor Jason is ook goed genoeg voor Hannah".'

Bert liet de stilte een poosje ongemoeid, voor hij de vraag stelde die hem had beziggehouden.

'Waarom begon jij te vermoeden dat Walter en Margaret Randell met elkaar samenwerkten?'

'Al tamelijk vroeg zat dat stel me niet lekker. Ze legden veel teveel nadruk op het feit dat ze gloeiend de pest aan elkaar hadden. Ook begreep ik niet goed waarom die zogenaamde Hogarth niet ingebroken had in Pennymore. Per slot van rekening zocht hij naar het notitieboekje van Jason. Ik besefte opeens dat Hogarth, als hij in werkelijkheid Randell heette, helemaal niet in Pennymore had hoeven in te breken. Margaret Randell beschikte immers over een sleutel? Zij had het huis op haar dooie gemak van vliering tot kelder kunnen doorzoeken. Zij en Randell realiseerden zich op een gegeven moment dat ze zich hierdoor konden verraden, vandaar dat ze nogal laat met het verhaaltje kwamen aandragen dat het huis doorzocht zou zijn.'

'Niettemin bleef je het echtpaar Morris en Peter Brewster nog steeds verdenken.'

'Ik kon hen niet helemaal als verdachten elimineren. Dat

was de reden waarom ik die scène van het telefoontje met Adams zo vaak moest herhalen.'

Bert Sinclair vond zijn koffie blijkbaar nog niet zoet genoeg. Hij pakte nog twee klontjes suiker uit de schaal en begon het mengsel opnieuw te roeren.

'Volgens Bellamy moet er op een gegeven moment een vete zijn geweest tussen Walter Randell en Chris Morris.'

'Inderdaad. Randell had Chris met een proces gedreigd, in verband met een artikel dat ze had geschreven. Uiteindelijk haalde hij bakzeil, maar zwoer dat hij het haar nog wel betaald zou zetten.

'Dat is zeker de reden waarom ze dat verhaal over die hinkende jongen verzonnen.'

'Ja. En vergeet ook die schetsen niet, die kopieën waren van Huberts werk; het was een handige zet van ze om met die zogenaamde *Marius of Rye*-tas te komen aansjouwen. Heel geraffineerd. Maar dat neemt niet weg dat Randell èen keer lelijk door het geluk in de steek is gelaten.

'Dat geval van die verloren manchetknoop, bedoel je?

'Ja. Blijkbaar was hij gebroken tijdens de worsteling met Morgan. Hij begreep dat het ding ergens in de flat moest liggen en gaf zijn vrouw opdracht ernaar te gaan zoeken. Ze zag hem liggen zodra ze de gang in stapte – maar op dat moment had ik hem ook al gezien. En bovendien had een van de andere bewoners haar het pand zien verlaten.'

Bert keek op toen er op de deur werd geklopt. Er kwam een hoofdagent in uniform binnen, met een formulier van het formaat A4 in de hand. Het was volgetikt met dicht opeenstaande regels. Hij reikte het formulier over aan Bert en verdween weer.

Bert sloeg een vluchtige blik op het formulier en grijnsde Sam toe.

'Zeker weer een memo van Bellamy?'

'Ja. Het derde al van vanmorgen.'

Lees ook van A.W. Bruna Uitgevers B.V.

Francis Durbridge

DE ZAAK ALISON

De succesrijke Londense society-schilder Greg
Forrester aanvaardt de opdracht een portret te
schilderen van de jonge actrice Alison Ford, die
samen met de broer van de schilder bij een
auto-ongeluk om het leven is gekomen.
Hij doet dit aan de hand van foto's. Dan wordt Jill
Stewart, die model staat voor Alison, in zijn huis
vermoord. Ze wordt gevonden in de kleren van
Alison en de foto's zijn spoorloos verdwenen.
Is Greg Forrester een gevaarlijke moordenaar of
raakt hij buiten zijn schuld betrokken bij de zaken
van een misdaadorganisatie?

ISBN 90 449 0706 9

Lees ook van A.W. Bruna Uitgevers B.V.

Francis Durbridge

HET VERDWENEN
PORTRET

Peter Matty ontmoet Phyllis du Salle, een
aantrekkelijke weduwe, in Genève. Ze vliegen
samen terug naar Londen. Als blijkt dat Phyllis van
plan is in Dorset te blijven, hoopt Peter dat hun
prille relatie zich verder zal verdiepen. Maar er
komt een kink in de kabel. De Jaguar die hij aan
Phyllis had uitgeleend, wordt verlaten aangetroffen
met als enige verklaring een kort, bondig briefje.
Phyllis' portret staat opeens in de etalage van de
plaatselijke fotograaf en verdwijnt ook weer op
mysterieuze wijze.
Als Peter een Tiroolse pop in zijn bed vindt, begint
hij zich ernstig zorgen te maken over Phyllis, die
onvindbaar is...
Het verdwenen portret is een nieuw, spannend
verhaal van de auteur van *De Sjaal, De
ontsnapping* en *Melissa*.

ISBN 90 449 2275 0

Lees ook van A.W. Bruna Uitgevers B.V.

Francis Durbridge

DE SJAAL

Fay Collins, een jonge vrouw, wordt op
meedogenloze wijze vermoord. Gewurgd met een
zijden sjaal.
Er zijn veel aanwijzingen, die echter steeds weer in
andere richtingen wijzen en telkens komen er weer
nieuwe personen als verdachte in aanmerking. Pas
nadat er een tweede moord heeft plaatsgevonden
komt er een beetje schot in de zaak.

De sjaal werd bewerkt tot een spannende
televisiefilm, waarvoor over de hele wereld miljoenen
kijkers thuisbleven. De verrichtingen van
inspecteur-detective Yates werden tot aan de
verrassende ontknoping ademloos gevolgd.

ISBN 90 449 0530 9